版

成功する! 公務員の面接採用試験

何をきかれ、どこをみられるか?

成美堂出版

●制度の概要を掲載 （P160 ～ 167）

巻末に、採用試験の概要をまとめました。
最新情報は人事院ホームページ「国家公務員試験採用情報 NAVI」（https://www.jinji.go.jp/saiyo.html）等でかならず確認してください。

本書の構成と使い方

本書は、公務員試験を受ける学生（大卒程度）のために、面接攻略法を紹介しています。近年の就職試験は業界を問わず人物重視の傾向にあり、面接の重要度が増しています。公務員試験においても同様で、突破するには面接対策が必須です。本書で、求められている人物像を把握し、万全の態勢で臨んでください。

■ ■ ■

第1章 **公務員面接のアウトライン**

国家公務員（総合職、一般職）、地方公務員の面接の現状を解説。スケジュールや、民間企業との違いを理解してください。

第2章 **公務員面接試験攻略法**

面接に臨むための準備から、実際の面接会場でのマナーまで、具体的なシーンを紹介しながら、説明しています。

第3章 **かならず聞かれる質問Q&A**

７つのジャンル別で予想される60の質問を、回答例とともに掲載しています。各回答例は、アドバイスつきですから、これらを参考にして、自分の答えを考えてください。書き込みスペースが用意されていますので、回答やメモを記すなどして、有効に活用してください。

答えるときのキーポイント　★面接官はここをみる　★ここはかならずチェック

の項目は、かならず読んで、攻略法をしっかり身につけましょう。

本書は原則として、2024年9月20日現在の情報に基づいて編集しています。掲載内容（とくに試験情報など）については変更の可能性がありますので、かならずご自身で最新情報を確認してください。

目次

第1章 公務員面接のアウトライン

採用までのプロセスや人事院面接と官庁訪問時面接の違いなどを説明。公務員面接の全体像を把握します。民間企業面接と、公務員面接の違いについてもチェックします。

第1章

公務員面接のアウトライン

1 面接試験の役割

公務員試験には多種多様あり、内容もさまざまだが、国家公務員、地方公務員を問わず、すべての試験に課されているのが面接だ。なぜ面接が重要なのか、面接にはどんな役割があるのかをみてみよう。

面接重視へ変わる公務員試験

公務員試験においてもっとも高いハードルは1次の筆記試験だ。この段階でかなりの受験生がふるい落とされる。そのため従来は、2次の人物試験（面接）は軽くみられがちだった。実際、とくに問題のないかぎり、面接で不合格になることは少なかったのだ。

しかし近年は、こうした学力に偏った選考を見直そうと、面接が重視されはじめている。社会が複雑・多様化するにつれ、公務員にもこれまでと違った多様な人材が求められるようになってきたからだ。そのニーズに応えるために、筆記試験ばかりでなく人物を直接みることのできる面接にウエートを置き、いろいろな考えをもつ人材を採用しようというのだ。

進む試験制度改革

面接を重視する傾向は、試験制度の改革のなかで具体的に進められてきている。まず1993年度に、国家Ⅰ種試験の一部で、面接で最上位の評価を受けた者には筆記試験の得点に一定の換算点を合算する判定方式が導入された。これが1997年度には、最上位に次ぐ段階の者にも同様の措置がとられるようになり、さらに1998年度には、国家Ⅰ種の全部にこの措置が拡大された。これらの措置は、国家Ⅱ種にも順次導入されてきた。また、2006年度からは、新たに面接評定の基準が導入された。

そして2012年度からは、国家公務員試験制度が全体的に見直され、Ⅰ種・Ⅱ種・Ⅲ種の区分を廃止、総合職と一般職の2区分での実施となった。新しい枠組みのなかで、面接のウエートも大きくなる傾向にある。

試験日程については、早期化に歯止めをかける試みもあったものの、2019年度頃からまた徐々に早まり（2020年度はコロナの影響で大きく遅れた)、2024年度はさらに1か月ほど前倒しされた。

トータルな人物像を把握できる

公務員試験の選考方法には、択一式の筆記試験、記述式の筆記試験、論文試験、適性試験、適性検査、身体検査、面接試験などがあるが、このなかで人物をもっともよく知ることのできるのが面接だ。担当者が直接、受験者と顔を合わせ、質問に答えさせたり、自己PRをさせたり、あるいは雑談を交わしたりすることで、トータルな人物像を把握できる。これは、ほかの試験では決してはかれないものだ。

面接を通して何がみられるのか

1 人間性

筆記試験が学力や教養を、適性試験が事務処理能力などをはかるのに対し、面接は性格や人間性をみるための場。話し方、話の内容、聞き方、表情、態度、服装など、すべての情報が総合的に評価される。

2 公務員に向いているか

協調性、責任感、確実性など、公務に携わる人間としての適性があるかが問われる。ただ、近年は公務員にも与えられた仕事を的確にこなすだけではない、独創性をもったユニークな人材も求められている。また国税専門官や裁判所事務官、労働基準監督官といった専門職の場合は、その職に必要な知識・適性も、面接の場で問われる。

3 熱意・意欲

本当に公務員になりたいのか、その熱意・意欲がどれくらいあるのかは、面接官がもっとも知りたいところ。面接の限られた時間内では、これを強くアピールすることが重要。

かならずチェック

制度変更で面接のウエートがアップ

2012年度の国家公務員試験の制度変更により、区分が変わるだけではなく、全体的な制度の見直しが行われた。面接試験は変わらずすべての区分で行われるが、配点比率はより高いウエートとなっている。人柄や対人能力をより重視する傾向は強まっているといえるだろう。聞かれる内容は基本的には変わらないが、準備を万全に、気を抜かずに挑みたい。

公務員面接のアウトライン

② 採用までのプロセス

公務員採用までの流れは各試験によって異なる。面接のタイミングや意味合いも違うので注意が必要だ。ここでは「国家公務員総合職」「国家公務員一般職」「地方公務員」の三つに分けて説明する。

国家公務員総合職の場合

１次・２次合格は採用の「資格」にすぎない

国家公務員総合職試験は、おもに国の機関である人事院が実施している。１次で筆記、２次で筆記・面接が行われるが、これを突破し最終合格を勝ち取っても、採用ではない。合格者はあくまで国家公務員となる「資格」を得たにすぎないのだ。採用されるには、次段階にあたる各府省の面接をクリアして内々定を得なければならない。

採用候補者名簿への記載

試験の最終合格者は、人事院が作成する採用候補者名簿に記載される。人事院は本人の希望を考慮のうえ、成績順に各府省に推薦。府省はそれに基づいて面接を行い、採用（内々定）者を決定するシステム。これを「官庁採用面接」と呼ぶ。

以前はこの官庁採用面接に至る前に官庁訪問で内々定が出ているケースもあり、近在者と地方在住者との間の不公平、採用プロセスの不透明さなどといった弊害が指摘されていた。

官庁訪問で自分を売り込む

官庁訪問については、各省庁人事担当課長会議においてルールの申し合わせが行われている。解禁日は、原則として２次試験を経た最終合格発表後（2024年度は６月12日午前８時30分。ただし、教養区分を除く）。この解禁日以降、希望の府省に出向き担当者との面談ができる。

担当者に顔を覚えてもらい、自分を売り込むチャンスとなるのがこの官庁訪問だ。期間が短く、訪問の回数と間隔についてのルールもあるので、効率的に行う必要がある。志望する府省をはっきり決め、ある程度数をしぼって行動することが、勝利への近道となる。

【国家公務員総合職（大卒程度）の採用までのプロセス】

受験申込	2月上旬～下旬
1次試験（筆記）	3月中旬
1次試験合格発表	4月上旬
2次試験（筆記）	4月中旬
本府省合同業務説明会	4月下旬～5月上旬…❶
2次試験（面接）	4月下旬～5月中旬
最終合格発表	5月下旬
採用候補者名簿への記載	5月下旬以降
官庁採用面接	6月中旬以降…❸
採用内々定	6月下旬以降…❸

※教養区分は秋季に実施で、2024 年度は受験申込 7 月 26 日～ 8 月 19 日、1 次試験 9 月 29 日、1 次試験合格発表 10 月 16 日、2 次試験 11 月 16・17 日または 11 月 23・24 日、最終合格発表 12 月 12 日、官庁訪問解禁 12 月 16 日午前 9 時、採用内定解禁 12 月 19 日午前 9 時。

官庁訪問スタート…❷

❶ 1 次試験から官庁訪問開始日までの間、各府省等は業務説明や面接など採用活動を行えない。代わりに、1 次試験合格者を対象として、人事院主催の本府省合同業務説明会が各地（札幌・仙台・東京・京都・福岡）で開催される。

❷ 各省庁の申し合わせで官庁訪問の開始日が決められる。これが実質的な採用面接。十分に各府省を研究し、できるだけ早い訪問を心がけよう。

❸ 定められた期間中（2024 年度は 6 月 3 日午前 9 時～ 11 日午後 5 時。ただし、教養区分を除く）にメール、ウェブシステム等で事前予約し、官庁訪問を複数回行って採用内々定、内定をめざす。訪問の間隔や回数に制限を設けるクール制がとられ（教養区分は異なる）、また、土曜・日曜は、次回訪問予約に関する一方向の事務的連絡メールを除き、接触はできない。

国家公務員一般職の場合

基本的な流れは総合職と共通

国家公務員一般職も総合職と同じように、最終合格イコール採用ではない。やはり人事院が実施する１次、２次試験、各府省等が行う採用面接をクリアして、晴れて公務員採用となるのだ。総合職との違いは、２次試験には筆記がなく面接試験のみの点にあるが、加えて、２次試験を待たず、１次試験合格発表後すぐに官庁訪問がはじまる点も重要だ。

地方機関への採用がある

総合職の採用が本府省庁だけなのに対し、一般職は本府省庁のほか地方機関にも採用される。本府省庁、地方機関、どちらを希望する場合も、やはり官庁訪問は必要で、積極的に足を運び採用先に自分を売り込むことが大切だ。地方機関の場合、官庁訪問をしなくても採用面接に呼ばれることもあるが、近年の傾向としては、地方機関でも官庁訪問は一般化している。

官庁訪問のタイミング

１次試験合格者発表日（2024年度は６月26日）の午前９時以降電子メール、ウェブシステム等により事前予約を受けつけ、官庁訪問開始日（2024年度は７月２日）から訪問開始。予約期間や申込方法は府省ごとに異なるので、事前に確認しておく。なお、２次試験実施期間（2024年度はそのあとの土曜・日曜も含め７月10日から28日まで）は、官庁訪問は禁止となる。

業務説明会での情報収集も大切

１次試験の前後から各府省の業務説明会が開催される。オンラインでの開催が増えて、期間の幅が広がり（個別説明会として常時行うところもある）、若手職員との懇談会等、趣向を凝らすところも出ている。人事院が１次試験合格発表日の直後（2024年度は６月27日ほか）に実施する官庁合同業務説明会とあわせ、ぜひとも参加して情報収集に努めよう。

★ここにも注目★

スペシャリスト系公務員の採用

国税専門官、労働基準監督官など、総合職・一般職とは別に設けられた専門性の強い国家公務員試験を専門職試験という（P.162参照）。これらは就職先となる省庁があらかじめ決まっているため、採用候補者名簿順に採用される形がとられている。

[国家公務員一般職（大卒程度）の採用までのプロセス]

受験申込	2月下旬～3月下旬	
業務説明会	3月1日～	…❶
1次試験（筆記）	6月上旬	
1次試験合格発表	6月下旬	官庁訪問予約スタート…❷／官庁訪問スタート…❷
2次試験（面接）	7月中旬～下旬	…❸
最終合格発表	8月中旬	
採用候補者名簿への記載	8月中旬以降	
官庁採用面接	8月中旬以降	…❹
採用内々定	8月中旬以降	…❹

業務説明会

❶ 各省庁人事担当課長会議申し合わせにより、業務説明会等の広報活動は3月1日から開始。各府省等のものと、1次試験合格者を対象に人事院地方事務局（所）が行う官庁合同業務説明会とがある。情報収集に、個別相談に、賢く利用しよう。

❷ 1次試験合格発表の日以降に官庁訪問の予約を開始。希望する府省等には早めにアタックしよう。

❸ 総合職と違い、一般職の2次試験は面接のみ。とはいえ、ここで不合格になると採用の道は閉ざされる。気を抜かずにがんばれ！

❹ 2019年度から、最終合格発表の日が内々定の解禁日となった。官庁訪問で良い感触を得ていれば、即日内々定ゲットもある！

地方公務員の場合

試験は自治体ごとにさまざま

地方公務員試験は、都道府県庁や市役所、町村役場などの職員を採用するために行われるもの。試験は各自治体で実施されるので、日程、内容、形式などはさまざまだ。とくに市町村の試験はかなりバラつきがある。規模も千差万別で、退職者の補充の形で採用を行う自治体では、毎年募集があるとはかぎらない。都道府県や政令指定都市では、採用試験のための機関として人事委員会が設けられているので、比較的、試験のスタイルは統一されている。

かならず課される面接

試験は多岐にわたり、適性検査を実施する自治体が多い特徴がある。いわゆる性格検査にあたる、ひとケタの数字を足していく「クレペリン検査」や、質問に「はい」「いいえ」「わからない」で答える「YG 性格検査」などが行われる。また、面接はすべての自治体で課されるので、しっかり準備しておくこと。個別面接が基本だが、集団面接や集団討論を併用するところも多い。いずれにしても、自分の受験する自治体の試験について、よく研究しておくことが重要だ。

最終合格が採用となる

地方公務員試験が国家公務員試験と大きく違うのは、試験の最終合格がほぼ採用となること。したがって官庁訪問にあたる活動はないと考えてよい。試験さえクリアすれば、最終合格発表のあと、黙っていても自治体から面接に呼び出される。「面接」といっても実質は「面談」で、本当にその自治体に入る意思があるかの確認と、部局や勤務地の希望を聞くための「採用意向調査」といえるだろう。

かならず チェック

自治体の基礎情報を覚えておこう

地方公務員の面接では、その自治体について質問されることも多い。たとえば県の人口、市町村数、財政規模、県が今進めている計画といったものだ。かならずしも「答えられなければ減点」ではないが、受験する自治体に関する基礎情報は最低限、覚えておくべき。しっかり準備しておけば、心にもゆとりが生まれるだろう。

[地方公務員の採用までのプロセス]

受験申込

▼

1次試験
（教養試験・専門試験など）…❶

▼

1次試験合格発表

▼

2次試験
（論文・適性検査・適性試験・身体検査・面接など）…❷

▼

最終合格発表

▼

採用面接…❸

▼

採用内定

集団討論

❶ 1次は基本的には筆記試験だが、自治体によってさまざまな内容になっている。この段階で面接を行うところも、ごく一部だがある。受験する自治体の試験を、十分研究しておこう！

❷ 2次はおもに人物をみる試験。面接を中心に、論文、適性検査、適性試験などを実施。身体検査や健康診断などを行う自治体もある。面接は個別面接を基本に、集団面接や集団討論を併用するところも。

❸ 面接といっても、採用かどうかを決めるものではなく、実質は入庁の意思確認と希望の勤務地、部局などを聞く面談。よほどのことがないかぎり、最終合格者は全員、採用されると考えてよい。

③ 人事院面接と官庁訪問時面接

国家公務員試験には性格の異なる二つの面接がある。人事院が２次試験として実施する面接と、各府省等が採用のために行う官庁採用面接だ。ここではその二つの、それぞれのポイントを説明する。

公務員試験の最終関門、人事院面接

人事院面接とは、国家公務員試験の２次試験で行われる人物試験（面接）のこと（総合職試験の２次には筆記もあるが、面接にしぼって話を進める）。官庁訪問時の面接では何度も面接が繰り返されるが、人事院面接は基本的に一度のみ。失敗は許されないので、しっかり準備を整えておこう。

人事院面接はどう行われるのか

形式

例年、個別面接が行われている。面接官は通常３人で、20分程度が一般的とされているが、15分かからないこともあれば25分以上の場合もある。短時間だから評価が低いとはかぎらないので、気にすることはない。

質問内容

オーソドックスな質問が多く、ほぼ確実に聞かれるのは志望理由。民間企業ではなく、なぜ公務員になりたいのか、具体的に言えるようにしておくこと。ほかに多いのは、学生時代に打ち込んだこと、長所・短所、他試験併願状況、友人関係など。なお、面接に入る前に面接カードに志望理由などを記入するが、質問はそれに基づいてされる（P.38〜参照）。

待たされることも

多くの受験者を１人ずつ面接するので、面接順番があとの人はかなり待たされる。２〜３時間待ちはめずらしくない。あらかじめそのつもりで、官庁パンフなどを持参し、待ち時間対策もしておこう。

公務員面接最大の難関、官庁訪問時面接

公務員試験のプロセスのどこかで、各府省等で実施される採用面接。面

接してもらえるように、各府省等に働きかける活動を官庁訪問と呼ぶ。受験者は各府省等を何度か訪問し、面接を繰り返すなかで内々定をもらい、採用の約束をとりつけるのだ。開始時期や面接の行われ方、内々定の出るタイミングなどは、府省等によってバラつきがある。しかしおさえるべきポイントは決まっているので、万全な対策をとれば良い結果を出せる。夏の暑いさなか、希望府省をめぐるために官庁街を歩きまわり、内々定をもらうまで、ひたすら訪問、面接を繰り返すハードな日々だが、この最大の難関を突破すればゴールはもうすぐだ。

なお、官庁訪問の開始時期・時間の詳細な情報については、人事院の採用情報ナビや各府省等のホームページで確認すること。府省等によっては、持ち物や事前に用意するものを指定することがある。また、訪問当日は、基本的に複数回、異なる職員と面接することになる。終日あけておこう。先方から再度の訪問を求められたら応じることも必要だ。

人事院面接と官庁訪問のスケジュール

	総合職試験	一般職試験
人事院面接の実施期間	4月下旬～5月中旬 (教養区分は11月中旬または下旬)	7月中旬～下旬
官庁訪問の開始時期	最終合格発表日以降	1次試験合格発表日以降

総合職試験

人事院面接は、教養区分以外の場合、4月下旬～5月中旬に約2週間の期間が設けられ、受験者は指定された日に面接を受ける。最終合格発表日以降、決められた日から官庁訪問がはじまる。

官庁訪問の開始時期については、「早い者勝ち」の側面が強いことから、1次試験合格発表前の活動も一般化していた。しかし地方在住者が不利になる、合否判定前に多数の受験者が官庁訪問するのは双方の負担になるなどの問題があることから、2000年度に人事院は開始時期を「1次試験合格発表日以降」と発表した。ところが実際は、例年どおり発表日前から実質的な面接を行い、早々と内々定を出す府省等もあったようだ。

そのため2004年度には「最終合格発表日以降」に開始と発表。その前日までは、各府省等は人事院が主催する合同説明会を除き、受験者に対する業務説明や面接など採用に向けた行為は一切行わないこととしていた。

現在は、訪問開始日・時刻だけでなく訪問間隔・回数の制限も官庁訪問ルールとして設けられている。ちなみに、教養区分以外の場合、2024年度は4クール制で、同一府省等への訪問は、第1・第2クール（各3日間）は3日に1回、第3クール（2日間）は2日に1回、第3クールと第4クール（1日間）の初日は任意の府省等に訪問可能とされた。

官庁訪問ルールは毎年見直され、調整される。動向に注意しておこう。

一般職試験

人事院面接は、通常、7月中旬～下旬で約2週間の期間に順次行われ、受験者は指定された日に面接を受ける。

官庁訪問は、しばらく最終合格発表日以降スタートが続いていたが、2019年度から1次試験合格発表後のスタートとなった。官庁訪問の期間に2次試験（人事院面接）がはさまるかっこうで、受験する側としては気持ちの休まるひまがない、という感じだ。

また、その期間中に、各府省等業務説明会、官庁合同業務説明会も組まれている。気持ちだけでなく実際の動き方としても、1次試験の合格を確認したらすぐ官庁訪問の予約をとり、説明会に参加して、官庁訪問時面接、人事院面接と、忙しくこなすことになる。1次試験合格後にゆっくり面接の準備を、という計画では対応できそうにない。

ただ、個々のスケジュールでは、業務説明会を3月から実施する府省等や、官庁訪問の期間を比較的長く設ける府省等もある。やみくもにあせることなく、志望先の実際のスケジュールを早めに確認して動こう。

早さが勝負の分かれ目

官庁訪問は、面接そのものの対策も大切だが、できるだけ早い時期に訪問することが重要なポイントになる。各府省等の採用枠には限りがあるので、予定人数の内々定が出れば実質的には終了となってしまう。官庁訪問自体、定員制となっている場合もあるので注意が必要だ。

一方で、各省庁人事担当課長会議申し合わせでは、受験者の学事日程等に配慮すべきことや、地方在住受験者が不利益にならないよう、また、訪問開始時期が遅れたことを理由に不利益な取り扱いはしないよう徹底する旨が確認されている。そこで、学業は犠牲にすることなく、とくに地方在住者はメールでの連絡やオンライン面接を活用して、乗り切りたい。

官庁訪問の実際

1 訪問

事前予約が必要な府省等と、必要のない府省等がある。必要ないところでも、メールや電話で訪問の仕方について尋ねてみるとよいだろう。官庁訪問の対応は各府省等でさまざま。どんなふうに進められるのか、何か貴重な情報を得られるかもしれない。

2 パンフレット入手

まずはパンフレットなど、官庁研究のための資料を入手することからはじめるのが基本。ただし、訪問した初日にいきなり面接、ということもあるので、なるべく早く手に入れ、研究を済ませておくほうがよい。

3 業務説明会

地方機関では、きちんとした形でこれを行うところが多い。訪問者を1カ所に集め、担当者が業務や勤務条件などについて説明する。かならず質問を受ける時間があるので、積極的に手を挙げること。この段階ですでに選考ははじまっており、ここで目に留まることが面接の呼び出しにつながるからだ。本府省庁では、業務説明会といっても随時行うことも多く、最初から実質的な面接に入るケースもある。

4 面接

面接の形式は、受験者1人に面接官1～3人という個別面接がほとんど。場所は応接室だったり、複数が同時に面接できる会議室だったり、また担当者のオフィスのこともあり、さまざまだ。時間は15～30分程度だが、なかには1時間を超えることもある。最初は人事担当者や大学のOB・OGとの面接からはじまり、徐々に年輩の管理職クラスとの面接に進む。1日に数回に及ぶこともあれば、「次は○日に来てください」と何日か訪問を重ねるパターンもある。

5 内々定

こうして何度か面接を繰り返した後、評価の高い人物には内々定が出る。はっきり「内々定」と告げ、採用確保のため誓約書を書かせる府省等もあるが、なかにはほのめかすだけの府省等もある。

とくに地方機関の場合はその傾向が強いようだ。内々定かどうか判断が難しい場合は、差しつかえない範囲で聞いてみてもよい。方針として内々定を確約しない府省等もあるが、それらしい言葉を言ってくれるかもしれない。

第❶章

公務員面接のアウトライン

④ 情報収集の仕方

公務員試験に合格するには、机に座り勉強さえしていればよいわけではない。試験の概要や各府省等の採用動向などを把握するため、アンテナをはりめぐらせ、情報を仕入れる努力が欠かせない。

情報キャッチに役立つ四つのツール

毎年、公務員試験では多くの受験者がしのぎを削り合う。採用までの道のりは決してやさしいものではなく、地道に努力を重ねた者だけが栄冠を勝ち取れる。しかし、ただやみくもに行動していては、無駄なエネルギーを浪費するばかりだ。試験の全体像を把握し、つねに情報を敏感にキャッチする必要がある。人事院や各府省等のホームページをまめに閲覧するほか、次のような試験の"羅針盤"となるものを、身近に備えておくことが合格、採用への第一歩となる。

実用書	受験予備校
書店の実用書コーナーには、公務員試験用の実用書がたくさん並ぶ。どれを選ぶかは各自の判断だが、公務員試験全体が網羅された本は、かならず１冊、購入しておいたほうがよい。一度通読して全体像を把握したら、辞書代わりに机に置いておけば、何かのときにサッと解決できる。	公務員試験専門の受験予備校は、合格のための情報・ノウハウを豊富にそろえているので、筆記試験対策としてだけでなく、試験の動向を知るうえでも心強い。試験実施機関が発表する公式情報のほか、卒業生や受講生からの体験談、裏情報を知ることができるのも魅力だ。
学校の就職部・進路指導室	**先輩・友人・知人**
民間企業の就職活動に比べ、利用されることは少ないようだが、公務員試験も就職の一環。当然、学校の就職部や進路指導室などでは情報・ノウハウをもっているし、相談にも乗ってくれる。積極的に活用しよう。	公務員試験を経験した先輩がいるなら、遠慮せずにどんどん相談しよう。どんなことでも話をもちかければ、意外なことが聞き出せるかもしれない。また、いっしょに試験を乗り越える仲間をもつことも大切だ。

確実な情報は人事院・人事委員会

試験の日程や内容など、基礎的な情報については、公務員試験の実施機関である人事院や都道府県別の各人事委員会に、直接アクセスするのが鉄則だ。もっとも信頼できるので、ここの情報を第一義的に活用しよう。とくに市町村や資格職では、毎年かならず募集があるわけではないので、試験の実施機関（市町村の場合は各自治体人事課など）に問い合わせたほうがよいだろう。

官庁について知る

官庁の基礎データ

民間企業の就職活動で企業研究をするように、公務員をめざす場合も、採用を希望する府省等についての研究が不可欠だ。第１志望から第３志望くらいまでは、とくによく研究する必要があり、そのほかすべての府省等についてもひととおり理解を深めておきたい。官庁についての情報・データをまとめた本も出ているので、活用しよう。

採用希望府省等の情報

志望する府省等のホームページは熟読しておこう。パンフレット類はダウンロードして手元に置くとよい。定期的にチェックして、業務説明会や座談会・懇談会など採用関連のイベント情報を逃さないことも大切だ。官庁訪問に関する案内も、時期が近づくと掲載される。

地方自治体

地方公務員の場合は「県政だより」「市政だより」なども有効に活用できる。身近なところ、意外なところに情報源があったりするので、つねに身のまわりに目を配るようにする。また、自治体のホームページがあるので、これも定期的に目を通すようにしよう。

時事問題に強くなる

面接で時事問題について質問されることもある。専門的な知識は求められないが、この１年くらいのニュースや社会情勢について、どういう見方をするかが問われる。これに対応するには、日ごろから新聞やテレビなどでニュースに関心をもつことが何より大事だ。どうしても時事に関心のもてない人は、図書館に行って、この１年の新聞縮刷版をながめると効果的。きっかけをつかめると、一気に興味がもてるようになる。

⑤ 民間企業面接と公務員面接の違い

公務員試験で行われる面接は、民間企業の採用面接とどんな違いがあるのだろう。ここでは、対照的な性格をもつ両者を比較しながら、公務員になるための心がまえについて考えてみよう。

公務員面接は対策が立てやすい

民間企業の面接に比べると、公務員試験の面接は形式、内容ともにオーソドックスで、奇抜なことはまず行われないと考えてよい。担当者によっては突飛な質問もするかもしれないが、基本的には例年、ほぼ同様の質問がなされるので、受験者としては対策が立てやすいといえる。つまり公務員面接は「しっかり準備をすればおそれることのない面接」そして「努力がかならず報われる面接」なのだ。

また、故意に受験者を追い込んで反応をみる、いわゆる圧迫面接も、公務員面接ではあまりみられない。ただ、官庁訪問時の面接ではときどきこれが行われるようだ。官庁訪問は民間企業の就職活動と共通する性格をもち、府省等ごとに厳しい目で、人物評価を受ける。公務員面接のなかでは例外的な存在かもしれないが、とはいえ、やはり民間企業の面接に比べれば傾向がつかみやすく、対策は立てやすい。

民間企業との比較が、公務員志望理由を明確にさせる

自分はどうして民間企業でなく公務員をめざすのか、考えてみよう。「ただ何となく」「まわりに公務員試験を受ける友達が多いから」などと、はっきりした理由のない人が多いかもしれない。また「不景気だし、安定性のある仕事に就きたい」との理由で公務員を志望する人もいるだろう。それも確かに理由ではあろうが、面接の席で言う言葉としては、ややものたりない。面接では、公務員の業務特性をふまえた、確信がうかがえる理由が望ましいのだ。民間企業は、行政機関とは対照的な存在である。このそれぞれの特徴を、考えるきっかけにして、自分がしたいこと、望んでいることを整理してみよう。

公務員として求められる人物像

民間企業は競争に勝つために営利を第一目的とするが、公務員の仕事は、直接、売り上げや利潤を追求するものではない。憲法でも公務員は、公共のために働く「全体の奉仕者」と規定されている。一部の人に対してでなく、国民や地域住民のために存在する職業なのだ。では公務員に求められる能力、人物像とは、どのようなものなのだろう。

1. たくさんの人とコミュニケーションをとれる協調性のある人。国や地方自治体などの大きな集団のなかで力を発揮し、目標達成に貢献できる人物が求められる。
2. 最後まで仕事をまっとうする責任感ある人。「全体の奉仕者」である公務員は、「世のため、人のため」の気持ちを忘れず、つねに自分を厳しく律して、仕事に取り組む必要がある。
3. 正義感が強く、公正な判断力をもつ人。近年は公務員の不祥事等が続発し、問題が取り沙汰されているが、社会的な不正を絶対にしてはならない立場にあることを忘れてはならない。
4. 独創性のある人。より良い社会をつくるには、古い決まりや、型にはまった考えにしばられない、自分で道を切り拓く力も必要。社会が複雑化し、公務員にも多様な人材が求められている。
5. サービス精神をもつ人。とくに窓口業務に携わる人には「お役所的」な対応でなく、明るく笑顔で対応することも、これからは求められる。国民に安心感を与えられるような人が必要とされる。
6. 柔軟性のある、バランス感覚にあふれた人。従来の公務員には、民間企業社員に比べ「かたい」考えの人が多かった。しかし、これからはしなやかに考え、行動できないと、時代の変化に合わせられない。

★ここにも注目★

キーワードは「きちんと」

公務員に必要な資質は多様化しているが、やはり依然として「きちんと」した人が求められている。民間企業なら「この人は個性的すぎる。でも何かでかいことをやりそうだ」と、異質な魅力が採用につながることもある。しかし、これは公務員ではめったにない。服装や態度など、外面的なものから伝わる部分の影響力は、民間の面接より大きいと考えよう。

公務員の魅力

抜群の安定性

公務員には、不況の世の中にあっても安易に不当解雇されることのない抜群の安定性がある。しかし近年は、執務の簡素化、効率化をめざした行政改革が叫ばれている。国立研究所等が独立行政法人へ移行されたり、民間動向を反映し、ベースアップが見送られるなど、前途洋々の職場環境とはかならずしもいえない。とはいうものの、公務員には、法律による身分保障や、実力を発揮する場の長期確保など、魅力はたくさんある。

恵まれた福利厚生

法律で身分を保障されるだけあって、そのほかの面でも民間企業より優遇される面は多い。何といっても福利厚生は充実しており、公務員の大きな魅力となっている。たとえば、定期健康診断の実施や医療施設の確保、スポーツや文化活動などのレクリエーション活動の展開、レジャーで使用できる保養施設の充実、安い家賃で恵まれた立地条件にある公務員住宅など。これらはいずれも民間企業に比べ充実しているといってよい。

公務員のやりがい

公務員は民間企業よりも、はるかにスケールの大きな仕事に携われる。国家公務員は国のために、地方公務員はその自治体のために、それぞれより良い社会をめざすためのさまざまな施策に、長期的なビジョンに立って取り組む。１人の人間の単位ではなく、次の世代、そのまた次の世代と、将来を見据えた長期的な展望で、ダイナミックに仕事を展開しているのだ。もちろん根気が勝負の地味な業務もこなさなければならないが、それでもやはり公共の土台となる仕事に携われるのは、民間企業にはない、公務員ならではのやりがいなのだ。

安定した環境で存分に仕事ができる

公務員は、法律に身分を保障された安定した環境で、スケールの大きいやりがいある仕事に、思う存分打ち込むことができる。一般には「堅実」で「かたい」イメージがあるが、それは公共に奉仕するための真摯な姿勢にほかならない。恵まれた職場で、どういった業務に打ち込み、自分の能力を発揮したいのか、受験前に、じっくりと考えてみることを、おすすめする。

第2章

公務員面接試験攻略法

面接に臨むために必要な、自分を知るためのノウハウを紹介。面接評価のポイントを学習し、いかに臨むかを検討します。身だしなみや話し方のマナーなども総点検します。

第②章

公務員面接試験攻略法

① 自分を知る

面接で十分に自己アピールをするには「自分を知る」ことが必要だ。自分についてはよくわかっているつもりでも、言葉で表現するのは、また別の作業になる。ここでは具体的に自己分析を進めてみよう。

自己分析が面接突破を可能にする

面接の限られた場所、時間のなかで、自分を上手に表現し、アピールするのは、意外に難しい。何も準備をしないで臨むのは無謀といえるだろう。面接を成功させるには、あらかじめ想定される質問に対し、答えを用意しておくことが重要。この答えを導き出すための作業として、自己分析が必要になる。自分自身をさまざまな角度から徹底的に分析することで、自分について、より深く的確に把握できるようになるのだ。

かならず書き出すことが大切

自己分析の作業は、頭で行うだけでなく、かならず書き出すことが大切だ。頭のなかではまとまっているつもりでも、それを書いたり、口に出して話そうとすると、スムーズに言葉にならないことに気づくだろう。ましてプレッシャーのかかる面接時には、支離滅裂になってしまうおそれもある。要点をきちんとふまえた答え方をするには、自分の頭にある抽象的な考えを一度書き出して、具体的な言葉にしておかなければならない。そうすることが、面接での説得力ある答えにつながるのだ。

自分をありのままに書き出してみよう

ここでの自己分析は、将来の進路に向けたものであるから、マイナス面にフォーカスするのでなく、自分の可能性を探るような姿勢が望ましい。誰にでも欠点はあるが、それは長所の裏返しであることも多い。長所・短所とは、視点の違いによって引き出されるものであり、本質的なものではないのだ。自分をありのままにみつめて、右ページの項目について実際に書き出してみよう。

自己分析のためのキーワード

- ●性格の特徴
- ●人生観・価値観（何に価値を置いて生きているか）
- ●職業観（仕事についてどう考えるか）
- ●今もっとも関心を向けている（社会的なこと・身近なこと）ジャンル
- ●感銘を受けた本・影響を受けた本
- ●印象深い体験
- ●大学のゼミで学んだこと・卒論のテーマ
- ●学生時代のサークル活動で得たもの
- ●好きな学科・分野
- ●趣味・特技
- ●尊敬する人・影響を受けた人
- ●友人関係・対人関係における特定の傾向（自分は人にどう接しているか）
- ●自分のセールスポイント

書き出す際のポイントは、単語を思いつくまま書き出すこと。大きな白い紙を各項目分用意しよう。その紙に、各項目への自分なりの答えを書いていく。すべて書き終わったら、紙をながめてみよう。同じ単語や、似た言葉が出ていることに気づくだろう。それが君の本質をなすものだ。次に、各単語を、項目の枠を超えてリンクさせてみよう。たとえば、印象深い体験で出てきた「海外」「留学」「ボランティア」「教育実習」の言葉が趣味の項目にある「英会話」とつながり、さらに、今関心を向けていることで書き出した「幼児外国語教育」と結びつく。また、無意識に選んだつもりの本が、人生観を象徴するものと関係しあっていることもあるだろう。

このように、ピースをはめていくうちに、本来の自分の姿がみえてくる。自身を深く知る手助けとなるだろう。

性格を自己評価してみよう

自分の性格を、下のような項目ごとに細かく評価してみよう。各項目をAからEまでの5段階で評価。はいと答えられればAを、ややそういえればB、どちらともいえなければC、あまりいえなければD、いいえの答えならばEをチェック。DやEのついた項目については、日ごろから補うことを心がけよう。

項目	内容	A	B	C	D	E
積極性	失敗をおそれず、進んで行動を起こす	●	●	●	●	●
協調性	人といっしょに物事に取り組める	●	●	●	●	●
誠実性	時間や規則などの約束事をしっかり守る	●	●	●	●	●
情緒安定性	感情的になることは少ない	●	●	●	●	●
忍耐力	苦しいことでも最後まで投げ出さない	●	●	●	●	●
楽観的・悲観的	あれこれ思い悩まず、前向きに取り組める	●	●	●	●	●
好奇心	目新しいものに興味がわく	●	●	●	●	●
独自性	自分の思うように行動できる	●	●	●	●	●
責任感	一度引き受けたことはやりとおす	●	●	●	●	●
柔軟な思考	人の意見を聞くことができる	●	●	●	●	●

能力を自己評価してみよう

自分の能力についても、下の項目を参考に細かく自己評価をしてみよう。あらためて自分の得意なこと、不得意なことを認識して、自分をみつめ直すきっかけにするとよい。得意なことにはAをつけ、不得意なことをEとして5段階で評価。不得意項目を克服し、得意項目を伸ばしていく努力が、面接の成功につながる。

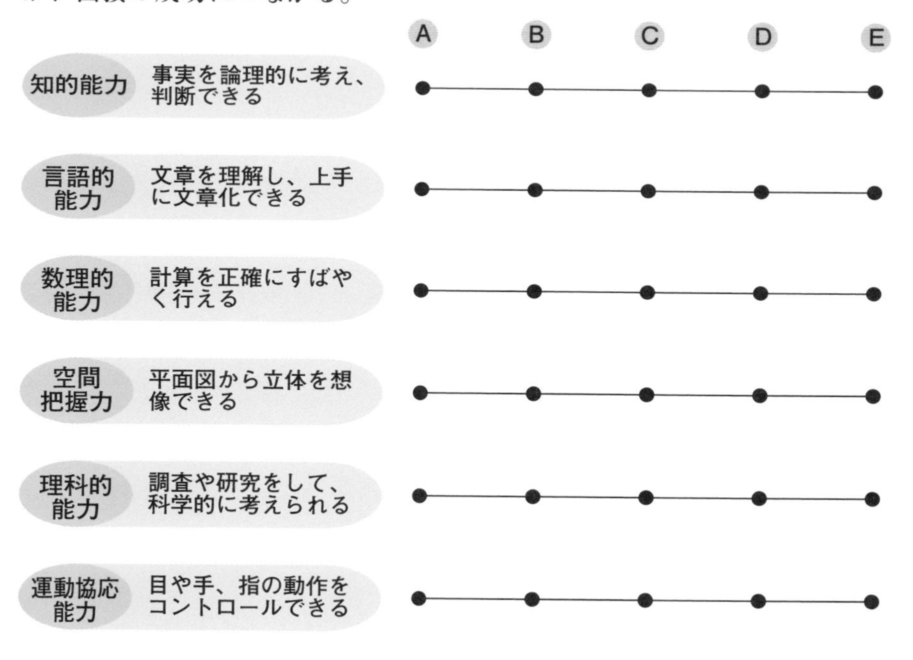

かならずチェック

自分以外の人にも評価してもらう

さまざまな角度から自分を評価することで、意外な一面に気づいたり、あらためて強く認識させられる面があったりと、自分について多くの情報が得られる。しかし、自分1人の判断だけでは、正確な評価ができていないケースは多い。そこで次の段階として、自分をよく知る身近な人たちに評価をしてもらおう。家族、友人、知人、先輩、後輩、先生など、なるべく広い範囲で聞いてみると、より深く自分を把握できる。

公務員の志望理由を徹底解剖しよう

公務員試験を受けるからには、公務員を志望する理由を明確にもっていないといけない。面接では、かなり高い確率で志望理由を聞かれるので、きちんと文章にまとめ、さらに口に出して話す練習も繰り返ししておこう。たとえ聞かれないにしても、自分が本当に公務員になりたいのか、なぜ民間企業でなく公務員をめざすかをはっきりさせておくと、これからの試験対策にも熱が入る。

下の項目について、一つひとつまとめて書いてみよう。書き終わったら、今度は、次に予想される質問を考える。面接官としては、公務員の志望理由は、ぜひとも聞いておきたいところ。あやふやな答えでは、さらに深い真意を探る質問をしたくなる。受験者として、回答を考え、次に面接官の立場になってみる。この繰り返しを重ねることで、自分の可能性について、冷静な判断をくだせるようになる。

質問、回答を、それぞれの役割でセリフのように、声に出してみるのもよい。これを録音し、聞いてみよう。これなら、移動時間や、勉強の合間などに、イメージトレーニングをすることができ、面接対策としては万全だ。

公務員の志望理由

- 自分のどういう面が公務員に向いているか
- なぜ公務員をめざすのか
- 民間企業ではなく、どうして公務員なのか。その理由は
- 志望する府省・自治体はどこか。その理由は
- 自分の大学での専攻と、志望府省・自治体の仕事内容の関連性
- 自分のこれまでの経験と、志望府省・自治体の仕事内容の関連性
- その府省・自治体に入ったら、現実的に何ができると思うか
- その府省・自治体で、どのような仕事を実現したいか

自分史を書いてみよう

面接で高い評価を得るには、話にできるだけ具体的なエピソードを交え、理解しやすく伝えることが必要だ。「大学では毎日が充実しています」と言っても、面接官に具体的な充実感は伝わらない。これを、「○○のゼミに入っていて、週に1回、ゼミ仲間の家で討論会を開いています。最近は○○が話題にのぼり……」と話せば、面接官も納得できる。

しかしエピソードは、あらかじめ準備していないと、とっさに適切なものが思い浮かんでこないことも多い。最近のことならまだしも、何年も前のことならなおさらだ。そこでエピソードを準備するための有効な手段として「自分史」をつくってみよう。下に、そのきっかけとなる項目を挙げてみたので、参考にして自分の歴史を書き出してみよう。この作業をすることで、忘れていた出来事や、埋もれていたエピソードを思い出せるはずだ。面接で自分の性格や資質を説明するのに、うってつけのエピソードがみつかるかもしれない。

小学校時代

幼い日の父母の印象
兄弟姉妹との思い出
好きだった童話
友達との遊び
塾や習いごと
田舎に行った思い出
家族旅行
印象に残っている先生
飼っていたペット

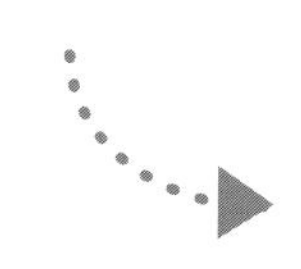

中学・高校時代

クラブ活動の思い出
親友との思い出
好きになった異性
親に対する接し方の変化
よく読んだ本
印象に残っている映画・音楽
影響を受けた人
国内外の大きなニュース
受験勉強
学校・学部を選んだ理由
合格の喜び・不合格の悔しさ

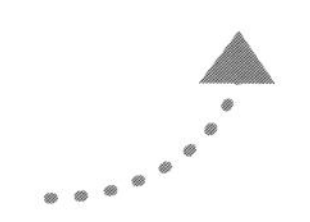

大学時代

サークル・クラブ活動のこと
アルバイト体験
親友との語らい
ゼミを選んだ理由
ゼミの先生・仲間について
夢中で打ち込んだこと
学生生活で得たもの
卒論テーマを選んだ理由
今の自分の生き方について
興味をもった時事問題
これからの目標

2 面接の形式と評価のポイント

公務員試験の面接は「個別面接」「集団面接」「集団討論」の三つの形式で行われている。それぞれの特色を知り、評価のポイントをつかめば、どう面接に臨めばよいかがみえてくる。

個別面接

もっともポピュラーな形式であり、国家公務員のすべて、地方公務員の大部分で行われるのが個別面接だ。名前のとおり、受験者を１人ずつ面接するもので、一般に面接というとこの形式を思い浮かべる人は多いだろう。ただ個別面接にも、１人の面接官によるマンツーマン・スタイルと、複数の面接官で実施される場合の二つの形態がある。通常、公務員試験の２次（１次や３次のところもある）で課される個別面接は、公正を期するために複数の面接官によって行われる。官庁訪問時面接では、マンツーマン・スタイルが多い。

個別面接はどう行われるのか

◆形式

面接官の数は３人が一般的だが、それ以上のこともめずらしくない。時間は15〜20分が標準。受験者によって長短あり、30分以上のこともある。

◆特色

１人ずつ面接するので、面接官は受験者をきめ細かく観察し、じっくり話を聞くことができる。話の展開に応じて、興味深いことや疑問点については徹底的に深く掘り下げた質問が行われる。受験者にとっては、自分１人だけに与えられた場なので、自分を売り込むチャンスだ。

◆応対のポイント

複数の面接官の目が自分１人に集中するので、どの角度からもみられていることを意識し、答えるときはかならず質問を発した面接官に顔を向ける。１対１の場合は、比較的リラックスした雰囲気で進むことが多く、注意散漫になりやすいので、適度な緊張感を保つことを心がけよう。

個別面接の評価のポイント

面接官は受験者を、ただ漠然とみているわけではない。評価のための項目がいくつか決められており、その一つひとつについて判定していく。個別面接の場合、おもに次のような項目が対象となり、それぞれについて「優・良・可・不可」「A・B・C・D・E」などの評価がなされる。自分のどんな点がみられるのかを知っておこう。

おもな評価項目	面接官はこんなところをみている	
身だしなみ・態度	服装はきちんとしているか	姿勢はよいか
	あいさつはできているか	落ち着きがあるか
	動作はテキパキとしているか	言葉遣いはしっかりしているか
表現力	話の内容に統一性があるか	要点を簡潔に述べているか
	正しい言葉を使っているか	模範解答のようになっていないか
	思ったことを十分言えているか	ハキハキと明瞭に伝えているか
社会性 堅実性	人の意見を尊重しているか	他人と協調する姿勢はあるか
	集団内の役割を自覚できるか	誠実であるか
	信頼できる人柄か	我慢強いか
積極性	気迫が感じられるか	向上心、研究心はあるか
	決断力はあるか	人が嫌がることでも進んで行うか
	困難を克服できそうな性格か	自ら事を起こす、行動的な性格か

集団面接

複数の受験者が一度に面接を受ける集団面接。この形式は、公務員試験においてはあまり行われていないのが実状だ。実施しているのは一部の地方公務員試験となっている。

民間企業のように面接を数回にわたって行う場合は、その初期の段階で集団面接を実施し、最後のほうで個別面接を行う。これに対し、公務員試験では１回のみ実施されるところがほとんど。こうした背景から、集団面接の行われる割合は低くなっているようだ。実施しているところでも、個別面接と併用することがほとんどで、集団面接だけを行うケースはきわめて少ない。

集団面接はどう行われるのか

◆形式

数人の面接官が数人の受験者を同じ場で面接する。一般的には面接官は３人、受験者は５～９人程度だ。所要時間は45分～１時間ほどで、人数が少ないほど短く、多ければ長くなる傾向がある。

面接の進め方としては、面接官の質問に対し指名された受験者が順に答えていく場合と、手を挙げて自由に発言する場合に大別される。また、１人ずつ質問内容が変わったり、一つのテーマについて各自が意見を述べる、集団討論に近い形で行われたりすることもある。

◆特色

面接官は同時に複数の受験者をみることで、受験者同士を比較して評価できる。その反面、１人に集中できないため、深く突っ込んだ質問はあまり行われない。面接官の意識は数人に分散されるので、受験者の感じるプレッシャーは個別面接より小さい。

◆応対のポイント

同じ質問に対して、受験者が順番に答えていく場合は、自分の言おうとしていた内容を先に言われてしまうことが多い。こうしたときは表現を変えたり、何か一つ意見をつけ加えたり、全体をまとめる内容にするなどの工夫が必要だ。また、自分の考えをまとめるのに気をとられていると、前の人の答えを聞き逃し、同じような内容を繰り返してしまったりする。集団面接は１時間くらいの長丁場もよくあるので、集中力を切らさず、たえず人の答えに耳を傾けることが重要になる。

集団面接の評価のポイント

集団面接における評価項目も、基本的に個別面接と同じと考えてよい。「身だしなみ・態度」「表現力」「社会性」「堅実性」「積極性」などは、ここでも重要な評価の対象となる。ただやはり、複数の受験者が同時に判定されるので、そのグループ内の受験者との比較で評価される面がある。ふだんは積極的な人でも、たまたま積極性に優れた人物の多いグループに入ったばかりに、ペースを崩し、思うように発言できない場合も考えられるのだ。つまり、集団面接では、複数の受験者たちのなかで、いかに自分の優れた点を出し、印象づけられるかが勝負の決め手となる。

★ここにも注目★

面接官に強くアピールする、印象に残る発言を

どの形式の面接でも、面接官は受験者を観察しながら「社会性」「表現力」「積極性」など、いわゆる「面接評定票」に記されたいくつかの項目について判定をしていく。しかし受験者は、不合格になりたくないばかりに、当たり障りのない発言に終始してしまうことが多い。面接官の心理として、そのような発言が多いと、自然に5段階評価の「3」ばかりつけてしまうことになる。話した印象は悪くないのに、評定票の評価が低い、ということもありえる。「5」をつけてもらうには、印象に残る発言や、思い切ったプレゼンテーションも必要なのだ。

集団討論

与えられたテーマについて受験者数人で討論し、試験官がその様子をみながら評価するのが集団討論。地方公務員試験において多く用いられる。

集団討論はどう行われるのか

◆形式

受験者が５～８人程度でテーブルを囲み、その近くで３～４人の試験官が討論の様子をチェックする。時間は人数によって幅があるが、１時間くらいが標準だ。手順としては、まず試験官からテーマが与えられ、受験者は５～15分程度、各自の意見をまとめ、その後に討論に入っていく。

◆特色

リーダーシップをとるタイプか、補佐的な役回りをするタイプか、場を盛り上げていくタイプかなど、受験者が集団のなかでどのような役割を果たすかを観察。原則として試験官は討論に介入しないので、個々の受験者を知るための質問はない。

◆応対のポイント

テーマは行政関連や社会問題から出されることが多いので、ふだんから自分なりの意見をもっておきたい。ただし、ここで評価されるのは、出されたテーマに対してどういう意見をもつかだけではない。討論がスムーズに進行し、グループ全体でより良い意見をまとめあげるのに貢献したかどうかが大切。そのためには、自分の考えを主張するのも必要だが、人の意見を尊重することも忘れてはならない。また、無理にリーダーになろうとせず、自分に適した役割を演じて、個性を上手にアピールしよう。

★試験官は集団のなかの役割をチェック

集団討論の評価のポイント

集団討論は、ある一つの社会的場面において、受験者がどのような役割を果たすかを評価するものだ。実践的な能力や資質をみるのに、もっとも適した面接法といえるだろう。討論が行われている間、試験官は受験者を一人ひとり観察しながら、いくつかの評価項目についてチェックをする。

おもな評価項目	試験官はこんなところをみている
貢献度	●適切な論点を提供しているか ●課題を解決するのに役立つ考えを示せているか ●議論がもつれたとき、問題を解きほぐせるか ●議論が横道にそれたとき、本筋に戻せるか ●明確で筋道の通った意見を出しているか
社会性	●進んで周囲の人と力を合わせているか ●仲間と協力する姿勢はあるか ●集団のなかでの自分の役割を心得ているか ●人の意見に耳を傾け、人の立場に立って考えることができるか ●社会に適合する考えをもっているか
指導性	●全体をとらえる目をもち、大局的な判断ができているか ●集団を引っ張っていく能力はあるか ●意見を調整し、まとめる能力をもっているか ●計画力はあるか

★ここにも注目★

国家公務員試験にも集団討論導入

国家公務員の総合職試験では、院卒者試験と大卒程度試験の教養区分の２次試験において「政策課題討議試験」が行われている。課題に対するグループ討議を通してプレゼンテーション能力やコミュニケーション力などをみるものだ。各受験者についてＡ～Ｅの５段階で評価される。

合否の決定には素点ではなく標準点が用いられるので単純にはいえないが、基準点に達しない試験種目が一つでもあると不合格となるので注意が必要だ。政策課題討議試験と人物試験における基準点はＤ評価である。

③ 面接カードの書き方とチェックポイント

面接官は面接の際、事前に提出された履歴書や面接カードなどの資料に目をとおし、それを参考に質問をしていく。この面接カードの書き方しだいで、面接を上手に乗り切れるかが決まる。

面接カードの書き方が面接の展開を左右する

初対面の人物を短い時間で評価するのは、簡単なことではない。それを効率よく行うためには、事前に受験者の情報を仕入れておく必要がある。そこで履歴書や面接カードを提出してもらい、面接の際の資料にしているのだ。

実際の面接では、面接カードに書かれた内容をベースに多くの質問が出される。面接カードには、最終学歴や職歴、志望動機のほか、専攻分野や趣味など、尋ねたいポイントが凝縮されているからだ。面接カードの書き方によって、面接がどう展開されるかが決まることを、受験者はしっかり心にとめておこう。

記入事項を準備しよう

面接カードは、家で書いたものを持参して提出する場合と、面接会場で配られ、その場で書く場合とがある。家で書く場合は、ゆっくり時間をかけられるが、その場で書く場合は時間の制限もあり、まわりの受験者が気になって思わぬ失敗をすることもある。そうならないよう、あらかじめ記入事項を想定したカードを作っておき、会場では写すだけにしておくのがベストだ。実際、多くの受験者が自分なりの面接カードを準備してくる。後れをとらないためにも、これは欠かせない作業だ。

記入事項は年度、試験の種類を問わず、ほぼ似通っているので、各項目ごとにしっかり内容を準備しておくこと（P.41～の面接カードの例参照）。また、面接ではこれをもとに質問されることを考え、記入した内容はしっかり覚えておこう。面接カードと矛盾した答えを言わないためにも、絶対に忘れてはならない。

記入の仕方のポイント

ていねいに書く

字の上手下手に関係なく、ていねいに見やすく書くことが第一。いくら達筆だからといって、書き飛ばしてはいけない。見づらいと、それだけで評価が下がることもある。書類作成の大前提なので、かならず心がける。

スペースを考えて書く

項目によってはスペースが足りなかったり、余るところもあるだろう。しかし細かい字でびっしり書きすぎたり、余白が多すぎるのはよくない。簡潔にまとめ、バランスよく記入すること。

具体的に書く

よくありそうな模範的な内容や、形式ばった言葉ばかりでは、十分に自分をアピールできない。面接官の興味を引き出し、質問につなげられるような具体的な内容を記入する。

言葉を選んで書く

思いついたままに書くと、乱れた言葉遣いになったり、真意を伝えていなかったりする。下書きの段階で何度か推敲を重ね、もっともふさわしい言葉を選んで書くこと。

面接を成功に導く書き方のテクニック

面接カードの書き方を工夫すれば、面接を有利に進めることもできる。次のようなポイントを頭に置いて、内容を練り上げてみよう。

1. 自分でアピールしたいこと、聞いてほしい内容があったら、それを質問してもらえるような書き方をする。記入スペースの大きい項目は、かならず具体的なことを書いて、面接官の興味を引くようにする。
2. 聞いてほしくないこと、マイナス評価につながるおそれのあることについては、表現を工夫する。「短所」の欄に、あからさまに自分の欠点を書き出すと、面接官もそこばかり気になる。
3. あまり詳しく書きすぎず、面接官に聞き出してもらうようにする。微に入り細にわたると、面接官もそこから質問をはじめざるをえなくなり、話がどうでもよい細かい点にまで及んでしまう。
4. 「趣味」や「特技」の欄を充実させる。面接官も一人の人間。これらについての質問、話題が多くなると、場がなごみ、親しみのある雰囲気が生まれる。そうなれば、気に入ってもらえる確率が高い。

項目別記入事項の留意点

専攻分野

学業や職務経験においてどのようなことに力を入れてきたかを書く。学生の場合は、卒業研究やゼミナールで取り組んでいるテーマについて書くことになるだろう。気をつけたいのは、専門的すぎる内容や用語にならないようにすること。専門外の人にも興味のもてる書き方を工夫したい。

志望動機

前向きで、意欲が感じられる内容を書く。「安定性」を志望動機にする人は多いかもしれないが、それだけではものたりない。説得力をもたせるには、具体的なものが望ましい。何か公務員を志望するきっかけとなった出来事があれば、それを書くとよい。ただし、詳細に書きすぎず、簡潔に記入すること。

自己紹介・性格

プラスの面を書くのが基本。長所ばかり記入するのはどうかと考え、正直に短所を書く人もいるが、イメージを悪くする言葉は使わないこと。「わがまま」「内向的性格」「気分屋」「ルーズ」などと書いては、一気に評価が下がる。自分で短所を認めるのは悪いことではないが、意味合いが強すぎるものは書かないほうがよい。「短所」の欄がある場合も、表現を工夫して、あからさまにならないようにしよう。

最近関心をもった事柄

自分に関する身近なことでも、時事問題でも、何でも正直に記入して構わない。ただし、それについて質問されるのだから、深く突っ込まれても答えられる事柄にする。とくに時事問題を選ぶ場合は、記入したこと以上に、しっかりした意見を用意しておくこと。

かならず チェック

他府省との併願は分野の近いところを選ぶ

官庁訪問時の面接（訪問）カードには、併願している他府省名の記入欄が設けられていることも多い。業務があまりにかけ離れた府省を併願している人は、志望理由がどっちつかずになるおそれがある。できれば第一志望を基準に、分野の近い府省を併願するべきだが、そうでない人は、面接官に理由を聞かれる場合を想定しておくべきだろう。

国家公務員総合職試験　面接カードの例

<table>
<tr><td>試験区分</td><td>受験番号</td><td colspan="2">氏名</td><td colspan="2">生年月日
年　月　日</td></tr>
<tr><td colspan="2">最終学歴
□大学
□大学院（　　　課程）
□その他（　　　　）</td><td colspan="2">在学期間
年　月～　年　月
□卒(修了)見込　□卒(修了)
□在学　□中退</td><td colspan="2">職歴
□ある（おもな職務内容
□ない　　　　　　　）</td></tr>
<tr><td colspan="6">専攻分野</td></tr>
<tr><td colspan="4">志望動機</td><td colspan="2">志望府省
1
2
3</td></tr>
<tr><td colspan="6">最近関心をもった事柄</td></tr>
<tr><td colspan="6">印象に残っている体験・感動した体験</td></tr>
<tr><td colspan="6">自己の性格について</td></tr>
<tr><td colspan="6">趣味・得意なスポーツ</td></tr>
</table>

大卒程度地方公務員試験　面接カードの例

試験区分	受験番号	氏名	生年月日 年　月　日

性別	年齢	最終学歴	左記の在学期間 年　月～　年　月 卒業・卒見・在学・中退

これまでに取り組んだ活動や体験	
	①学業や職務において、どのような分野でどのようなことに力を入れてきたかについて、その理由も含めて記入してください。
	②学生生活、社会的活動、職業体験などにおいて、達成感があったと感じている経験について、どのような状況・場面で、どのようなことをしたのか、具体的に記入してください。

自己PR　自分の長所や特技など自分のアピールをしてください。

志望動機　なぜ○○市職員を希望しているのか、市職員としてどのように仕事をしていきたいと考えているのかについて記入してください。

職歴	勤務先の名称	在職期間	職務内容

免許・資格

上の例の「学生生活、社会的活動、職業体験などにおいて」のように、幅広いフィールドについて問われ何を書いてもよいような欄は記述に困るだろう。つい、簡単に逃げたくなるが、本当は力を入れるべき欄。

記述のスペースが大きければ大きいほど、採用側の、その項目に関して、知りたいとの思いは強い。これを頭に入れて、バランスよく書こう。書きやすい項目だからと、小さな文字でぎゅうぎゅう詰めに書いたり、大きなスペースなのに、一言だけなど、不釣り合いにならないように注意しよう。

官庁訪問時の面接（訪問）カードの例

<table>
<tr><td>受験番号</td><td>氏名</td><td colspan="2">実施年月日
年　月　日</td></tr>
<tr><td colspan="2">免許・資格</td><td colspan="2">特技</td></tr>
<tr><td colspan="4">趣味・得意なスポーツ</td></tr>
<tr><td colspan="4">自分の長所と短所について</td></tr>
<tr><td colspan="4">大学のゼミナール・卒業論文で取り組んでいること</td></tr>
<tr><td colspan="4">サークル・クラブ活動の経験</td></tr>
<tr><td colspan="2">最近読んだ本について</td><td colspan="2">最近関心をもった事柄について</td></tr>
<tr><td colspan="4">仕事に対する考え方について</td></tr>
<tr><td colspan="3" rowspan="2">志望動機</td><td>志望府省
1
2
3</td></tr>
<tr><td>民間企業との併願</td></tr>
</table>

④ 合否を決める面接の話し方と聞き方

面接を上手に乗り切るためには、話し方や聞き方にそれ相応の基本やコツがある。面接官に話をわかりやすく伝え、好感をもってもらうにはどうすればよいか。そのポイントを、ここでは探ってみよう。

話し方の基本となる五つのポイント

自己を分析し、あらかじめ予想される質問の答えを準備したら、その答えを面接の場でいかに効果的に伝えるかが重要になる。次の五つは話し方のもっとも基本的なことなので、かならず守るようにしよう。

1 相手をしっかり見る

面接中は相手の目を見て話すのが基本。正面から目を合わせるのに抵抗のある人は、相手の顔全体をやわらかく見るイメージで、おもに鼻からあごにかけてポイントを置くようにするとよい。

2 聞き取りやすい速さで

速すぎず遅すぎず、相手に聞き取りやすい話し方をしよう。人によって話すスピードはさまざまだが、面接では早口になる傾向があるので、少しゆっくりめを心がけるとよい。

3 発音ははっきりと

ボソボソした小さい声や、自信のなさそうな話し方をすると、立派な意見もつまらないものに聞こえてしまう。反対にハキハキと歯切れよい話し方をすれば、内容以上の印象を与えられる。

4 長すぎず、短すぎずに

独演会のように長々と話したり、反対に「はい」「いいえ」だけで、あとの続かない答え方は考えもの。質問の主旨をつかんで、答えのポイントを適切におさえた話し方をしよう。

5 言葉遣いに気をつける

ふだんの言葉遣いがそのまま出ないように気をつけよう。「……とかァ、……だしィ」といった語尾を引っ張る言い方にはとくに注意。また、「えーと」や「あのー」など、つなぎの言葉を繰り返し使うことも避けよう。

こう話せばしっかり伝わる

どんなに素晴らしい意見、考えをもっていても、相手に伝わらなければ意味がない。短い面接のなかで自分の言いたいことを伝えるには、次の点を心がけるとよい。

結論から述べる

まず、質問に対する明確な答えから入り、そのあとにそう思う理由を述べる。こうすると面接官は安心して聞くことができ、正当な評価につながる。結論をあとまわしにして納得させる話法もあるが、面接慣れしていないと、まわりくどい言い方になって印象を悪くするおそれがある。

良い例「はい、私はそれは良いことだと思います。というのは……」
悪い例「……で、……ですから、……ということですので、それは良いことだと思います」

わからないときは堂々と尋ねる

質問の主旨がわからなかったり、聞き取りづらいときは、誠意をもって堂々と問い返そう。中途半端な態度は失礼になるし、聞き流したり、あいまいな理解のままだと、見当外れの答えになる。

良い例「すみません、質問の意味がわかりづらかったのですが」
「申し訳ありませんが、もう一度おっしゃっていただけますか」

悪い例「は？」「え？」
「……（何となく聞き流す）」

効果的な話し方のケース別対処法

どんなに準備をしていようと、面接官の人柄や意図するものによって、面接の雰囲気は変わってくる。笑顔で穏やかに質問する面接官もいれば、ニコリともしない面接官もいるのだ。いろいろなケースがあることを想定して、どう対応すればよいか考えておこう。

和やかな雰囲気の場合

受験者の緊張を気遣って、意識的に和やかな空気をつくる面接官は多い。この場合、話が雑談のようになると、面接官は人間性まで入り込むような質問をせず、受験者は自分をアピールできないまま終わるおそれがある。そうならないよう、早いうちに核心的な話をはじめたほうがよい。

淡々とした雰囲気の場合

機械的に淡々と質問をする面接官の場合は、何となく受け答えをしているうちにもち時間が終了してしまうことがある。やはり自分をアピールできないおそれがあるので、早い段階で言いたいことを伝える努力が必要。

重たい雰囲気の場合

小さな声でボソボソ話す面接官だと、つられて小さい声になりやすい。また不機嫌そうだったり、やる気がなさそうに見える面接官もいるが、腹を立てず平常心を保つこと。どんな場でも明るく元気に話す姿勢が大切だ。

圧迫面接の場合

受験者の反応をみようと、あえて答えに困る質問をしたり、こちらの言葉にしつこく反論を繰り返す「圧迫面接」。こういう面接に遭遇したら、冷静さを保つことを第一に考えよう。答えづらい質問、難しい質問には、無理に答えず「わかりません」と言う勇気も必要。とりつくろった答え方をすると、さらにするどく意地悪な質問をされるだろう。

かならず チェック

面接では批判をしないで、明るい話題を

たまに公務員の不祥事が明らかになり、世間やマスコミからは「税金のムダ遣い」「官僚的体質」などと厳しい批判の声が上がることもある。しかし、面接の場で公務員について思うことを聞かれたとき、批判的な意見を言うのは好ましくない。事件の当事者でないにしても、相手も公務員の一人。何より、面接では明るい話題を心がけたい。

聞き方の基本となる五つのポイント

面接では人物そのものが評価されるわけだから、面接官は当然、受験者の聞き方もチェックしていると考えたほうがよい。また、きちんと聞いていないと、質問に的確な答えを出せないことにもなる。次の点に気をつけて、しっかり耳を傾けよう。

1 面接官の目を見て聞く

相手の話を真剣に聞いていることを示すには、これは絶対に必要。話すときと違い、聞くときはかならず目を見ること。適度にうなずいたり、タイミングよく相づちをうつのも忘れないように。

2 質問は最後まで聞く

質問の主旨を途中で理解しても、面接官の言葉をさえぎったりしないこと。すべて聞いてから一拍置く、くらいの感じで話し出すとよい。

3 聞きながら感情を顔に出さない

予想どおりの質問に思わずニヤリとしたり、嫌味な質問に反抗的な目をしてしまったり。ついそんな表情が出てしまうこともあるので注意しよう。

4 ほかの受験者の話もしっかり聞く

集団面接や集団討論では、ほかの受験者の話もしっかり聞こう。聞いていないと同じ答えを言ってしまうことがあるし、ほかの受験者の話をもとに、面接官が次の質問を出す場合もあるからだ。

5 途中で話の腰を折らない

ほかの受験者と意見が合わなくても、途中で話の腰を折らないで、最後まで聞いてから発言すること。とくに集団討論では、聞く態度ができているかどうかは重要な評価ポイントになる。

⑤ マナーの基本はここをおさえる

面接で好印象を与えるには、マナーを身につけることが必要だ。正しい敬語の使い方、身だしなみのチェックポイント、実際の会場での対応など、マナーの基本をしっかりおさえておこう。

敬語をマスターしよう

きちんとした言葉遣いで話すのは、社会人としての基本。面接の場でも、自然に敬語で話せれば面接官の印象は良いものとなる。しかし、ふだん敬語に慣れていない人は、面接で急に使おうとしても、かえってヘマをするだけだろう。社会人への準備にもなるわけだから、ここでしっかり敬語をマスターしておいたほうがよい。

以下に敬語の基本事項を述べるので、それを頭に入れておくとともに、日常生活でも使うよう心がけること。知識としてだけでなく、生きた言葉として自然に使いこなすことが大切なのだ。

敬語の基本総復習

●ていねい語

「です」「ます」をつけて、言葉をやわらかく、ていねいにする。「私は経済学部出身です」「月に１度は映画館に行きます」「昨年まで、家庭教師のアルバイトをしていました」などは、もっとも基本となる言葉遣い。面接では、このていねい語が大前提となる。

●尊敬語

相手をもち上げて敬意を表す言葉。相手の動作に「～れる（られる）」「お（ご）～なる」をつけて「担当の方が資料を読まれる」「担当の方が資料をお読みになる」など。

●謙譲語

自分がへりくだることにより、相手に尊敬の気持ちを表す言葉。自分や自分の身内の動作に「お（ご）～する」をつけて「では、お待ちしています」「私から、ご連絡します」など。

よく使われる尊敬語と謙譲語の特別な言い方

	尊敬語	謙譲語
する	なさいます	いたします
行く	いらっしゃいます	うかがいます・まいります
言う	おっしゃいます	申します・申し上げます
聞く	聞かれます・お聞きになります	うかがいます・ うけたまわります
見る	ご覧になります	拝見します
いる	いらっしゃいます	おります
食べる	めしあがります	いただきます
知る	ご存じです	存じています・存じ上げます

面接でよく出てくる敬語の使い方

良い例	悪い例
～についてうかがってもよろしいでしょうか。 ～について（ご）質問してもよろしいでしょうか。	～について聞いてもいいですか。
父と母と私の３人家族です。	お父さんとお母さんとぼくの３人家族です。
ご存じかもしれませんが～	知ってるかもしれませんけど～
もう一度おっしゃっていただけますか。	もう一度言ってもらえます?
ご覧になりましたか。	見ました?
先日いただいた資料を拝見しましたが～	この前もらった資料を見たんですけど～

面接官は敬語の使い方をチェックしているわけではないので、何も教科書的に正確に話す必要はない。敬語は社会人でも正しく使っているとはかぎらない。大切なのは、相手に失礼のないよう「ていねいな言葉遣い」を心がけること。あとは友人との間で交わすような言葉にならないよう気をつければ、クリアできるだろう。

身だしなみを整えよう

短い時間で人物をみる面接では、身だしなみが重要な評価対象になる。面接官は意識する・しないにかかわらず、見た目の第一印象で「こういう人だな」と感じ、そこから質疑応答に入るのだ。それほど神経質になることはないが、外見を整えれば自分に自信がもてるのも事実。ふだんは気にしない人も、少しおしゃれをしてみてはどうだろう。ただし、公務員面接の場合は“無難”が第一。派手にならないよう、清潔さを前面に出して、頭のてっぺんから足のつま先まで、乱れのないようにしよう。

身だしなみ1

【 髪 】

茶髪や金髪など染めた髪の人は黒く戻そう。長髪や、前髪が長くて陰鬱な感じがするのもよくない。清潔で好感のもてる髪型にし、当日は寝グセなどのないようにセットしていこう。

【 服装 】

公務員の面接は紺やグレーのリクルートスーツにしておけば間違いはない。ワイシャツも白がよいだろう。靴下は白ではなく、黒や紺などのダーク系にする。公務員面接では夏場に動きまわることが多いので、ハンカチなどの暑さ対策もしておこう。また、シワや汚れにも注意しよう。

身だしなみ2

【 髪 】

金髪や赤く染めた髪はよくないが、黒に近い茶色なら問題ない。望ましいのは黒。長さはロングでもショートでもよいが、強いパーマは控える。流行の髪型よりは少し地味めに、かつ自分に合ったヘアスタイルにしよう。

【 服装 】

紺やグレーのリクルートスーツが主流。ブラウスは白がベターだが、派手にならなければ明るい色のものでコーディネイトしてもよい。全体のバランスを考え、控えめな印象にまとめよう。靴のヒールは5cmくらいまで。

【 メイク・アクセサリー 】

メイクやマニキュアは抑えぎみに。アクセサリーはつけないほうがよい。とくに指輪は目につきやすいので、外したほうがよい。

理想の身だしなみはこれ！

2

黒もしくは黒に近い茶色であれば
スタイルは好みで

ナチュラルメイクで
すっきりとした顔に

イヤリングや
ピアスは
なるべく控える

ブラウスは白
または明るい色

控えめな印象の
スーツが好ましい

指輪はしない

マニキュアをする場合は
薄いピンクなど
目立たないものを

スカートは
ひざがかくれるくらいの長さ

ストッキングは
肌の色に近いものを

スーツに合った靴を選ぶ

1

髪は短めの
黒髪が基本

ヒゲはしっかり
剃っておく

ワイシャツは
白がベター。
衿や袖口は
きれいに

紺やグレーの
リクルートスーツが無難

ネクタイは
派手すぎないものを。
真っすぐ、
結び目を形よく

基本はシングル3つ
ボタン。一番下のボ
タンは外してもよい

ポケットのフラップ
（ふた）は入れるか
しまうかどちらか統一

爪は切っておく

ズボンは
折り目をきちんと

靴下は黒や紺など
ダーク系

靴は黒がよい。
ピカピカに磨いておく

※官庁訪問期間中の服装については、節電・軽装の励行期間ということで、「ノージャケット、ノーネクタイなど無理のない服装で」という呼びかけもなされている。臨機応変に対応したい。

面接会場でのマナー

面接当日、実際の席ではどんなことを心がけたらよいかを、順を追ってみてみよう。ここでは待合室での過ごし方から入室、退室までを紹介するが、会場となる建物に入ったときから、面接ははじまっているつもりでいること。廊下やエレベーターで顔を合わせた人が、面接官だったりする場合もある。誰に対しても失礼のないよう、しっかりした振る舞いをすることが大切だ。

待合室での過ごし方

待ち時間が長くなるのはめずらしくないので、その官庁や自治体の資料に目を通して面接に備える。落ち着ける本を持参して読むのもよい。時間が長いと、周囲の人と情報交換のために言葉を交わすこともあるが、節度をもって会話をすること。大きな声は出さないよう気をつける。直接の合否の判定材料にはならないが、待合室での様子をチェックされることもありえるので、目立った行動は控えよう。

会場には面接の注意事項について掲示があったり、プリントが配布されたりすることがある。当日の手順や過ごし方について書かれているので、待合室で待っているときによく目を通しておこう。

入室の仕方

会場の注意事項に、「ノックをしないで」「係員に従って」など手順が書かれていたら、それに従うようにする。かならずよく読んでおこう。ここでは基本的な入室のマナーを紹介する。

1. 名前を呼ばれたら「はい」と元気よく返事をして立ち上がり、ドアの前まで進む。
2. しっかり中に聞こえるようにドアをノックする。コンコン、と2回くらいがよい。
3. 中から「どうぞ」と返事があってから、ドアを開ける。入室し、面接官に背中を向けないように静かにドアを閉める。
4. ドアの位置で「失礼します」と面接官に向かって一礼し、用意された椅子まで進む。
5. 椅子の横に立ったまま、受験番号と名前を言い、「よろしくお願いします」と一礼する。
6. 面接官に「どうぞお座りください」と着席をすすめられてから、椅子に座る。

退室の仕方

退室のマナーも身につけておくとよい。質問の受け答えがひととおり終了したからといって、部屋を出るまで面接は終わりではないのだ。最後まで気を抜かずに緊張感を保とう。

1 面接官から「これで終わります」と言われたら立ち上がる。ホッとして大きく息をついたりしない。

2 椅子の横に立ち、「ありがとうございました」と言って一礼をする。しっかり気持ちを込めておじぎをしよう。

3 ドアの前まで進み、面接官に向き直って一礼をし、退室する。ドアの開け閉めは静かに。

美しいおじぎをマスターする

面接室に入ったら、まず面接官に一礼をする。このおじぎはポイントをおさえてきれいに行うと、それだけでよい印象を与えることができるので、しっかり練習しておくとよい。決して難しいものではないから、やっておけばかならず効果が上がるだろう。

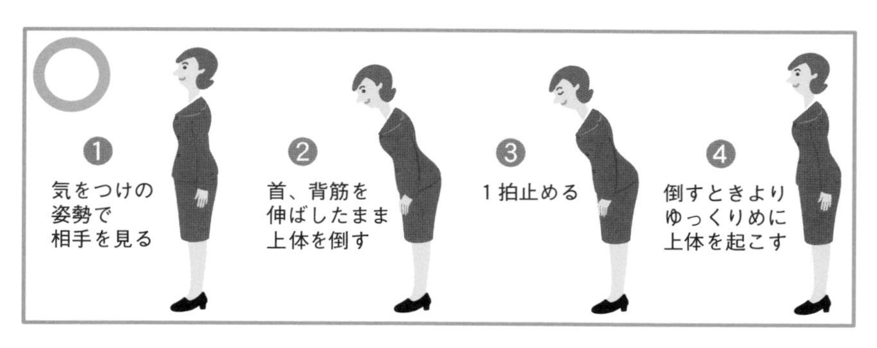

座っているときの正しい姿勢

面接中は椅子に座っている姿勢を、ずっとみられているものと考えよう。これもポイントをおさえれば、好印象につながる美しい姿勢ができるので、きちんとマスターしておこう。

ひざを軽くつけてそろえる。手を重ねて置く

- 背すじを伸ばして深めに腰かける
- 背もたれには寄りかからない
- 足先は平行にそろえる

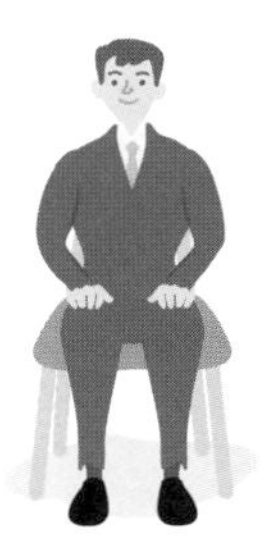

ひざを少し開く。手を軽く握ってひざの上に置く

面接中の表情のポイント

大した内容を話していないのに評価の高い人もいれば、反対に素晴らしい話をしているのに印象の悪い人もいる。その原因は、面接中の表情が明るいか暗いかによるところが大きい。性格の明るい、暗いはすぐには変えられないが、明るい表情は練習しだいで身につけられないこともない。ふだんから意識して笑顔をつくる習慣をつけ、面接に備えておこう。そのうえで、次の点を意識して本番に臨むとよい。

1. 相手の話を聞くときは真剣な表情を保つ。その人の目をしっかり見て、こちらの意欲を伝える。ただしあまり気合いが入りすぎて、怖い顔にならないよう注意する。
2. 話すときは少し表情をゆるめる。緊張していると、こわばった顔、怒ったような顔、伏し目がちになることが多いので、意識的にやわらかい表情をつくるようにする。
3. うれしかったこと、楽しかった経験などを話すときは、かならず笑顔を交えるようにする。無表情で話すと、本当に楽しかったようには聞こえない。
4. 全体をとおして明るく、若々しく、元気よく、健康的に、表情豊かに受け答えをする。自分にはそういう面が欠けていると思う人は、舞台の上で演技をするつもりで。

かならず聞かれる質問 Q&A

60の質問に対する回答例を読んで、自分なりの答えを考えます。「面接官はここをみる」と「ここはかならずチェック」で、面接官の視点と注意点を理解します。

第③章

かならず聞かれる質問Q&A

この章の活用の仕方

例年、公務員試験の面接では質問の内容はほぼ決まっている。この章では予想される質問に対し、一つひとつポイントをおさえながら回答例を紹介している。参考にしつつ、自分なりの回答を準備しよう。

1問ずつていねいに解説

公務員試験には国家、地方それぞれに多くの試験があるが、面接で質問される内容にそれほど違いはない。志望動機や職業観、学生生活についてなど、言葉や質問の角度は違っても、かならず聞かれる項目がある。

それらを想定して、この章ではもっとも出されやすい質問をピックアップした。一つひとつの質問を分析し、答えの導き方をていねいに解説してあるので、読み進めながら自分なりの回答をつくってみよう。その作業をしておけば、本番ではあわてることなく自分をアピールできる。質問は見開き2ページで1問を掲載し、次のように多角的に解説してある。

答えるときのキーポイント

質問を受験者側からみて分析。回答に加えるべき内容や、評価を高くする答え方、おさえておきたいポイントを具体的に取り上げ、的確な回答を導き出す手引きをする。言わないほうがよいこと、注意しなければならないポイントにも言及。

★面接官はここをみる

質問を面接官側からみて、主旨がどこにあるのか、どんな点がみられているかを分析。面接官の知りたいポイントをおさえることで、説得力ある答えが可能になる。

★ここはかならずチェック

とくに注意したい点、知っておくと有利なこと、考え方のヒントなどを取り上げ、より魅力的な回答づくりを解説。

覚えておこう プラスα

類似質問、関連質問を紹介し、ポイントのつかみ方や回答のコツをおさえ、テーマに柔軟に対応できるようにアドバイス。

回答例

具体的な答え方を２〜３例紹介し、各回答に「アドバイス」として解説をつけてある。どこがよいのか、どうすればもっとよくなるか、足りない点はどこかなどを指摘。傾向と対策を練る。

ANSWER書き込みスペース

ひととおり読んでポイントをおさえたら、自分の回答を書き出してみよう。反対に、読む前に書いて、あとで比べてもよい。メモ欄にも使える。フリースペースとして自分なりに活用しよう。

質問は七つのカテゴリーに分類

頻出の質問を次の七つに分類し、まとめてある。各カテゴリーの特色を把握しておくと対応しやすいだろう。どの項目も聞かれる確率の高いものなので、しっかり準備しておくこと。

1 導入の質問 (P.58〜P.61)

本格的な質問に入る前の準備体操的な質問。評価の対象にはならないが、緊張を解きリズムに乗るためにも、対策を立てておくとよい。

2 志望動機に関する質問 (P.62〜P.77)

面接カードにも記入欄が設けられており、面接の場でもほぼかならず質問される。あらかじめ回答をまとめておくことが不可欠。

3 自己に関する質問 (P.78〜P.97)

受験者の性格や人生観、日常生活などについての質問。直接的に自己アピールしやすい項目だけに、万全な準備をしておこう。

4 職業観に関する質問 (P.98〜P.113)

社会人として、公務員をめざす者としての、働くことへの意識が問われる。ここではとくに、熱意や意欲をアピールすることも重要。

5 学生生活に関する質問 (P.114〜P.133)

ゼミ、卒論、サークル、アルバイトなど、学生時代の過ごし方から人物像を探り、仕事への適性をみようとする。

6 交友関係に関する質問 (P.134〜P.147)

人とのつきあいをさまざまな角度から質問し、コミュニケーション能力や人間関係を円滑に築けるかを問う。人間性がとくに表れる質問。

7 社会問題に関する質問 (P.148〜P.159)

時事・社会問題に関心をもち、社会の一員としての自覚があるかが問われる。問題の本質をつかみ、自分なりの見解を示すことが大切。

Q [導入の質問]

答えるときのキーポイント

多くの面接官は受験者の不必要な緊張を取るため、リラックスさせようと配慮してくれる。受験者が席に座ると、本格的な質問の前にいくつか聞いてくるのだ。これは「質問」というより「会話」ととらえ、気軽に応じればよい。第一印象をよくするためにも、相手の目を見て歯切れよく答えよう。うまくリズムに乗れば、そのあとの質問にスムーズに答えることができる。

★面接官はここをみる

- 好ましい態度で答えているか。
- 不必要に緊張していないか。
- 面接に臨む前向きな姿勢、熱意が感じられるか。
- どんな人柄、性格の人物か。

★ここはかならずチェック

- 「導入の質問」では答えの内容より、面接官との言葉のやりとりがうまく進むことにポイントを置く。面接官も“かみあう”相手には好感をもってくれる。
- 面接官によっては、最初から志望動機や自己PRなど本題に入る場合もある。待合室では集中力を高めておくこと。

Q [○○さんですね。よろしくお願いします。]

回答例

◆はい、○○です。よろしくお願いします。

アドバイス

姿勢を正し、軽くおじぎをする。無理をしない程度に元気よく声を出す。「お名前を言ってください」と言われることもある。

Q [こういう場では緊張するでしょう？]

回答例

◆はい、少し緊張しています。

アドバイス

正直に答えると緊張が解けやすくなる。「大丈夫です」と強がったりすると、余計に緊張することがあるので注意。

Q [面接には慣れていますか？]

回答例

◆いえ、あまり慣れてはいません。

アドバイス

何度も面接を重ねているとしだいに慣れてくる。しかし「慣れています」と答えるのは控えたほうがよい。謙虚さも必要。

Q [この試験場はすぐにわかりましたか？]

回答例

◆はい、家を出る前に、あらかじめ地図で確認してありましたので、すぐにわかりました。

アドバイス

地図で下調べをしているところから、きちんとした性格が伝わる。もし試験場まで迷った場合は、正直に述べればよい。ただし、極端な方向音痴をさらすような発言は控えること。

Q ［ここに来る途中、どんなことを考えていましたか？］

回答例

◆面接で聞かれる内容を考えていました。とくに志望動機について、繰り返し頭のなかで唱えていました。

アドバイス

正直なところだろうが、好ましい回答とはいえない。あとで志望動機を聞かれたときにプレッシャーになる。何を答えてもよいが、自分に不利になる発言は避ける。

Q ［ゆうべはぐっすり眠れましたか？］

回答例

◆いいえ、なかなか寝つけませんでした。緊張すると眠れなくなるたちでして、明け方になって、やっとうつらうつらした感じです。

アドバイス

あまり緊張を強調するのもよくない。「あまり眠れませんでした」と、さらりと答える程度が好ましい。

Q ［今朝は何時ごろ起きましたか？］

回答例

◆いつもより少し早めに、6時半に起きました。

アドバイス

さりげなく前向きな姿勢が感じられる。大切なことに対し、余裕をもって早めの行動がとれる人物であることもわかる。

Q ［今朝は朝食をしっかり食べましたか？］

回答例

◆はい、きちんと食べました。

アドバイス

正直に答えるのが基本。食べているほうが好ましいが、食べていないと評価が下がるわけではない。

長い待ち時間で、疲れたでしょう？

回答例

◆そうですね、ちょっと疲れました。

アドバイス

ここは「大丈夫です」と答えたいところ。最初から「疲れた」と言うようでは集中力も途切れてしまうだろう。

待っている間、何を考えていましたか？

回答例

◆面接でどんなことを聞かれるか気になりましたが、心を落ち着けようと、何も考えないようにしていました。

アドバイス

無難に答えている。正直に答えればよい。待合室では何より、リラックスを心がけよう。

面接のために、何か準備はしましたか？

回答例

◆はい、面接対策の本を買って、予想される質問には答えをまとめたり、しっかり準備をしてきました。

アドバイス

熱意を示すためにも、準備してきたことをアピールする必要はある。しかし「本を買って」などは言わなくてよい。

Q ［なぜ公務員を志望するのですか？］

答えるときのキーポイント

ほぼ全員に出される質問だけに、なるべく個性的で説得力ある回答が求められる。安定性や福利厚生の充実など、勤務条件面の魅力だけを挙げるのは好ましくない。自分の特性が公務員の仕事にどう向いているかを述べたり、自分の希望や目標を、受験する府省や自治体の業務と結びつけて述べるとよい。また、熱意を感じてもらうために、自信をもってはっきりした口調で話すことも必要。

★面接官はここをみる

- 本当に公務員の仕事をしたいのか。
- 納得させるだけの志望理由をもっているか。
- 建て前でなく本音で言っているか。
- 熱意や意欲、やる気は感じられるか。

★ここはかならずチェック

- 面接カードなどに志望理由を書いて提出してある場合が多い。そこに書いた内容を、さらに深く説明できるような回答にする。
- 自分の実際の経験をもとにした、具体性のある理由を述べるとよい。そうするとほかの人と差別化でき、自分らしさをアピールできる。

覚えておこう プラスα

「採用されたら、どんな仕事がしたいですか？」

この質問も志望理由と同じように、熱意や意欲をみようとしているもの。したがって「とくにありません」と答えてはいけない。本人としては「与えられた仕事は、どんなものでも責任をもってやる」つもりでも、面接の場で「希望は？」と聞かれたときは、かならず何かしら答えるべきなのだ。とはいえ公務員の仕事は異動も多いので、「絶対に○○の仕事がしたいです。ほかの仕事は考えられません」といった答え方ももちろんダメ。熱意と柔軟性、協調性が感じられるような回答を心がけよう。

回答例

◆民間企業のように利潤を追求するのではなく、公共のために働くところに魅力を感じます。自分の力が少しでも社会のためになれたらと思い、それには公務員以外にないと思っています。

アドバイス

民間企業との違いから公務員の特性を述べるのも一つの方法。「公務員以外にない」と熱意が感じられるのがよい。ただ、模範的な回答は建て前に聞こえる可能性もある。なぜそう思うようになったか、具体的に述べられると、実感のこもった志望理由になる。

◆大学で政治学を専攻し、行政に興味をもちました。こちらに採用されましたら、ぜひ学んだことを生かしたいと思います。

アドバイス

大学の専攻を公務員の仕事に結びつけるのはよいが、どう生かすかをもっと具体的に述べよう。

◆倒産がまずないので、就職先としてベストです。福利厚生も充実していますし、一生働くことを考えるとこれ以上の職場はないと信じています。

アドバイス

「これ以上の職場はない」という信念はよいが、勤務条件の面ばかりを前面に出すのは考えもの。かならず別の理由を加えること。

ANSWER書き込みスペース

Q なぜ国家公務員を志望するのですか？

答えるときのキーポイント

基本的には公務員の志望理由を答えればよいが、あえて「国家公務員」と聞いてきた場合は、なぜ地方公務員でなく国家公務員なのかを明確にすること。国家公務員の特色を示したうえで、国の基盤をつくるダイナミックな仕事だといった点は、かならず回答のなかに入れたい。また、総合職と一般職にも違いがあるので、なぜ総合職なのか、あるいは一般職を志望するのか、その理由も考えておこう。

★面接官はここをみる

- 国家公務員を志望する明確な理由をもっているか。
- 国家公務員の仕事をきちんと理解しているか。
- 建て前でなく本音で言っているか。
- 国家公務員としての使命感や熱意があるか。

★ここはかならずチェック

- 官庁訪問時面接では回答に対して、否定の意見が出され、その反応をみられることもある。揺さぶられても揺るがない信念をアピールする。
- 責任感や協調性など国家公務員に求められる資質が、発言のなかに感じられるような答え方が理想的だ。

回答例

◆国家公務員の仕事は、国民の生活を支えるとてもやりがいのある仕事だと思います。国の将来を考えるスケールの大きな仕事に携わり、自分の力を生かしたいです。

アドバイス

国家の仕事に携わりたい気持ちを本当にもっていれば、こうした回答は説得力をもつ。建て前で言ったとしたら、そらぞらしいものになるだろう。「スケールの大きな仕事」の具体例を考えておくとよい。

◆総合職で採用されれば将来、国を背負って立つエリート官僚への道が開けます。国づくりという仕事で自分の能力を生かしたいと思いますし、また、そうした職場だからこそ自分自身を成長させられると考えます。

アドバイス

頼もしい発言だが、言い方しだいでは嫌味な感じに聞こえてしまうので注意が必要だ。ふてぶてしい態度にならないよう、誠実な姿勢で。

◆一般職はおもに事務処理等の業務に就くとされています。細かい作業や正確さを求められる仕事が好きなので、自分には向いていると思います。「縁の下の力持ち」のような立場で国の仕事に貢献したいと思いました。

アドバイス

自分の性格を説明する具体的なエピソードを用意しておけば万全だ。

ANSWER書き込みスペース

Q [なぜ地方公務員を志望するのですか？]

答えるときのキーポイント

国家公務員にはない地方公務員ならではの特色を強調する。もっとも多く挙げられる理由は「地元で就職したい」。これは「地元への愛着」と置き換えるべき。しかし、これだけではアピールする力は弱いので、なぜ地元に愛着をもつのかも具体的に説明できるようにしておく。また当然、その地域のことだけでなく、公務員を志望する理由も積極的に述べること。

★面接官はここをみる

- 地方公務員を志望する必然的な動機をもっているか。
- 地元への愛着心があるか。
- 地域を発展させようとする熱意が感じられるか。
- 建て前でなく本音で言っているか。

★ここはかならずチェック

- 地方公務員の場合、安定性や福利厚生の充実、通勤の利便性などに魅力を感じる志望者は多いが、それを前面に出しすぎないこと。
- 国家公務員にはまったく興味がないとしても、それをにおわせるようなニュアンスは控える。

覚えておこう プラス α

「なぜ地元ではないこの自治体を受験したのですか？」

出身地以外の自治体を受験する場合は、かならずこの質問がされると思っておこう。「その土地が気に入ったから」が理由なら、気に入った点を挙げて素直に述べればよい。しかし「地元を離れたかった」との事情による人も多いだろう。その場合は正直には言わないほうがよい。少なくともその土地を選んで受験したのだから、その地域の魅力について述べるべきなのだ。「地元への愛着」をもつ多くの受験者に肩を並べるには、人一倍その土地について研究しておくことが必要となる。

回答例

◆**国家公務員として国の将来を考えることにも魅力を感じますが、自分の生まれ育ったこの土地をもりたてたいとの気持ちが強くあります。それに地方公務員の仕事は、直接住民に接する機会も多いようですし、人と接するのが好きな私には、合っていると思いました。**

アドバイス

国家公務員の仕事にも理解を示したうえで、地方公務員により魅力を感じているのがよくわかる答え方。明るく元気に答えよう。

◆**生まれてからずっとここに住んでいまして、ぜひ地元のために役立ちたいと思っています。ここなら自宅通勤できますし、全国各地に転勤する国家公務員より、やはり転勤の範囲が狭い地方公務員になりたいです。**

アドバイス

地元の役に立ちたい気持ちが出ているのはよいが、転勤のことが強調されすぎている。通勤の便利さは、志望理由で述べるにはふさわしくない。

◆**高校生のとき市役所に住民票を取りに行って、窓口の方にとても親切にしていただいたことがあります。それ以来、住民とじかに接し、明るく応対できる地方公務員に憧れるようになりました。**

アドバイス

実際のエピソードは気持ちが伝わりやすいので、あればぜひ述べよう。

ANSWER書き込みスペース

Q［民間企業は受験していますか？］

答えるときのキーポイント

受験しているなら正直に答えるべきだが、その際、公務員が第１志望であるとはっきり示すこと。また、すでに民間企業では内定が出ている場合もあるだろうが、自分からその事実を言う必要はない。面接官に具体的に聞かれたら答えればよい。民間企業を受験した理由を聞かれたら、「すべり止め」という言葉は使わずに、前向きな答え方をしよう。

★面接官はここをみる

- 公務員を志望する気持ちは本物か。
- 採用したら確実にここに就職するかどうか。
- 正直に答える姿勢はあるか。
- なぜ民間企業を受験したのか。

★ここはかならずチェック

- 言ってはまずいと思い、まごまごしていると、余計な疑念を面接官に与えてしまう。堂々と答えるほうがよい。
- 民間企業を受けているからといって、公務員を志望する意志が弱いと判断されるわけではない。むしろ第１志望であることを強くアピールするチャンスととらえよう。

覚えておこう プラスα

「民間企業から公務員に転職する理由は？」

民間企業からの転職者は、かならず聞かれる質問。一度選んだ仕事を辞めて新たな職業をめざすわけだから、面接官を納得させるだけの理由が必要となる。民間企業にない公務員の良さを述べるとともに、公務員をめざそうと思ったきっかけを、エピソードを交えて話すと効果的だ。また、公務員になったらどんな仕事がしたいか、これまでの仕事や社会経験をどう生かせるか、などについても具体的に述べるとよい。

回答例

◆受験していますが、第1志望は公務員です。こちらに採用になりましたら、かならずこちらに勤めたいと思っています。

アドバイス

熱意を込めて、はっきり「第1志望」であると言おう。ここに採用されたい意志を伝えられれば、余計な説明はいらない。

◆○○社と××社、それから△△社を受けましたが、これらはあくまですべり止めです。公務員試験に落ちた場合を考えて、念のために受けておきました。○○社はすでに内定をもらっていますが、公務員に採用されれば、もちろん公務員を選びます。

アドバイス

非常にわかりやすい答え方だが、自分から具体的な会社名を出したり、「すべり止め」と言ったりするのは控えたほうが無難。しかし、明確に堂々と答えようとする姿勢は評価できる。

◆受験しました。ですが、民間企業に就職するつもりはまったくありません。公務員以外は考えていません。

アドバイス

公務員を志望する熱意は感じられるが、この答え方だと、なぜ民間企業を受験したのか疑問。説得力ある、筋道の通った回答を心がけよう。

ANSWER書き込みスペース

Q ［ほかの試験に受かった場合、どちらを選びますか？］

答えるときのキーポイント

複数の公務員試験を受験している場合、こうした質問はかならず出される。その面接が第１志望の試験なら、自信をもって「こちらを選びます」と言えるが、問題は第２志望などのとき。正直に「第２志望です」と言ってしまうと、人物評価は高かったとしても、面接官としては採用を渋りたくなる。露骨な嘘にならない範囲で、「ぜひこちらで働きたいと思っています」と前向きな姿勢を伝える努力をしよう。

★面接官はここをみる

- 受験者の他試験や他府省等の併願状況。
- 採用されたらかならず就職する意志があるのかどうか。
- 答えづらい質問にも、あわてず対応することができるか。

★ここはかならずチェック

- とくに官庁訪問時の面接では、他府省等との併願状況を聞かれることは多い。第２志望以下の府省等だとしても「第２志望です」とは決して言わずに、採用されたい意志を強くアピールしよう。
- 嘘はいけないが、正直すぎると落とされるのが面接の難しさ。その場で臨機応変に対応できる柔軟さが必要だ。

回答例

◆**地方公務員も受けていますが、あくまで私がめざしているのは国家公務員です。両方に合格しても、もちろんこちらを選びます。**

アドバイス

第１志望の場合は、このように就職の意志があることをシンプルに、はっきり伝えるとよい。

◆**総合職と一般職を受けましたが、本命はこちらの一般職です。総合職は試験の雰囲気に慣れるための「ためし受験」ですので、私の実力からして、たぶん合格することはないと思います。**

アドバイス

「ためし受験」は実際によく行われているとはいえ、面接の場ではっきりと言うのは考えものだ。一般職が本命なら、総合職のことにはあえて触れず、一般職への熱意を前面に出せばよい。

◆**ほかの府省も訪問していますが、ぜひ環境省で仕事をしたいと思います。**

アドバイス

面接官に「ここは第１志望ですか」と聞かれたら、かならず「そうです」と答えること。たとえそうでなくても、人気府省等の官庁訪問時の面接では「第２志望です」と答えたら採用はまずない。嘘をつくというより、すべての府省等が第１志望のつもりで面接に臨めばよいのだ。

ANSWER書き込みスペース

Q 自分のどういう点が公務員に向いていると思いますか？

答えるときのキーポイント

このような質問をされたら、自己PRのチャンスととらえよう。基本的には自分の個性や長所を述べ、それを公務員の仕事につなげるように答えればよい。自分から長所を言うのをためらう人もいるが、はっきりと自信をもって発言すること。回答の内容だけでなく、話し方も大きなポイントになる。また、エピソードを加えて具体性をもたせれば、より説得力ある回答ができる。

★面接官はここをみる

- 公務員の特性をきちんと理解しているか。
- 公務員としての適性があるか。
- 自分自身を把握しているか。
- 自分と公務員を結びつけて考えているか。
- 公務員を志望するはっきりとした意志が感じられるか。

★ここはかならずチェック

- この質問は答えを用意しておかないと、その場ではうまく答えられない。かならず対策を練っておこう。
- 民間企業にはない、公務員ならではの特色に結びつけた回答をする。公務員についての理解を深めておくことを忘れずに。

覚えておこう プラスα

「公務員のどんなところに魅力を感じますか？」

「志望理由は何ですか？」「民間と公務員の違いは？」の質問のあとに、さらにこう聞かれることもある。いずれも公務員の特色と自分の個性をつなげて答えるのが基本。同じ答えを繰り返すわけにもいかないので、いろいろな答え方ができるよう対策を練っておいたほうがよい。公務員の魅力について考えられるものをピックアップし、さらに自分ならではのエピソードを用意して、柔軟に対応しよう。

回答例

◆私は高校時代からボランティア活動を続けていまして、自分だけのために行動するより、人のために何かをしたときのほうが喜びを感じます。市民のために働く公務員の仕事は、充実した気持ちでできると思います。

アドバイス

経験をさりげなく入れ、自己アピールできている。ボランティアについては、種類や期間、学んだことなどに、質問が広がることも考えられる。

◆曲がったことが嫌いで、真面目で誠実なところが公務員に向いていると思います。友人たちからは「堅すぎる」「これほど公務員に向いている人間はいない」と言われるくらいです。

アドバイス

典型的な古い公務員像をとらえての回答になっている。「堅すぎる」のが公務員向きとの固定観念は危険。「責任をもって物事に対処する」など、表現を工夫しよう。

◆大学では歴史について深く学びました。時代が動くとき、どのような出来事があるのか、世の中を広く見つめる目を養ってきたつもりです。政策の立案などでは、そうした私の力を十分生かせるものと思います。

アドバイス

このように自己の性格ではなく、能力を公務員に結びつけてもよい。

ANSWER書き込みスペース

志望する府省はどこですか？

答えるときのキーポイント

明確に答えること。公務員試験にさえ受かればどこに採用されてもかまわないと、面接官に受け取られてはいけない。志望先がいくつかあり、自分のなかで一つにしぼれていないなら、面接前に第１志望を明確にしておくこと。また、その府省の志望理由についても聞かれるので、官庁研究を十分にして、面接官を納得させられる理由を考えておこう。

★面接官はここをみる

- 志望を明確に決めているか。
- なぜその府省等を志望するのか。
- 志望理由はしっかりしているか。
- 官庁のことを、どの程度理解してきているか。

★ここはかならずチェック

- 第１志望から第３志望くらいまで挙げる場合は、業務のかけ離れた府省等を並べると志望理由に説得力がなくなるので注意。
- 志望理由は、大学の専攻や自分の体験など、エピソードを入れて具体性のあるものにすると説得力が出る。

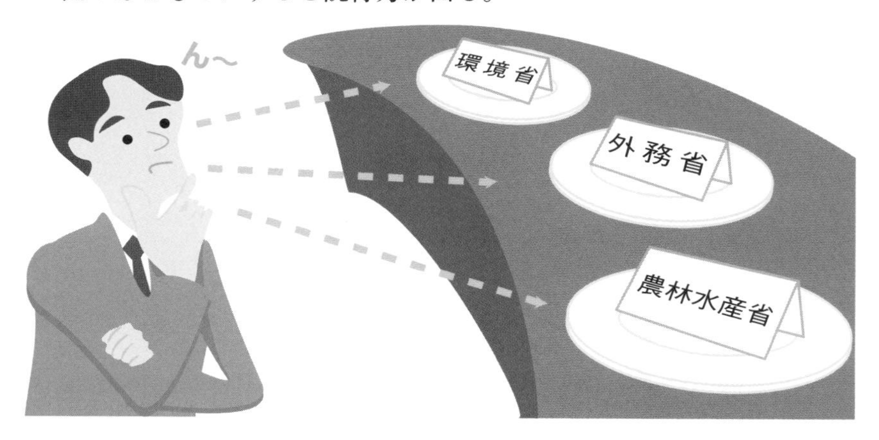

回答例

◆**農林水産省を志望します。私は現在は東京に住んでいますが、生まれてから中学生までは地方の農村で育ちまして、いつも身近なところに農業がありました。それらに日常的に接してきた経験から、農村が抱える問題を行政の立場から考え、改善していきたいとの強い思いがあります。**

アドバイス

自分の経験をもとにしたオリジナリティのある発言は面接官の高評価につながる。「農村が抱える問題」を具体的に述べるともっとよい。

◆**環境省か国土交通省のどちらかに採用されたら、と思っています。私は釣り好きで川にたいへん興味があり、日本の川を保全していくための環境整備に携わりたいと考えています。**

アドバイス

「どちらかに採用されたら」と言ってはいけない。面接では熱意が大切なのだから、まず一つを強調し、そのうえで関連する府省等を挙げる。

◆**文部科学省を志望します。学生時代、塾の講師のアルバイトをした経験から教育に関心をもつようになりました。一時は教師になることも考えましたが、今は大局的な立場から教育に関わりたいと思っています。**

アドバイス

教師でなく教育行政を選ぶ理由やきっかけをわかりやすく。

ANSWER書き込みスペース

Q ［県(市)のPRをしてください。］

答えるときのキーポイント

地方公務員試験でよく聞かれる質問。下調べをしたうえで、プラスのイメージになる面を中心に答えるのが基本。一般に知られる観光地、歴史的に有名な出来事や人物などは、かならずおさえておく。また、その自治体の政策面での特色や、具体的なプロジェクトなどについても、しっかり頭に入れておくこと。県下の市町村数や人口といった数値的なデータも、最低限覚えておこう。

★面接官はここをみる

- 受験する自治体について研究してきているか。
- 地域への熱意や愛着は感じられるか。
- わかりやすく伝えることができているか。

★ここはかならずチェック

- 丸暗記してきたような言い方にならないよう注意。一夜漬けで覚えるのではなく、前もって頭に入れておく。
- PRといっても、広報の適性をみようとしているわけではない。自治体研究をしてきたことが伝われば、まずはOK。うまく話そうとするより、リラックスして語ろう。

回答例

◆8年にわたった県庁所在地である○○市周辺の再開発事業が完成し、また港湾地区の整備化計画も着々と進行中です。人口もこの3年は増加に転じています。積極的な政策で活性化した当県は、今後、「人にやさしい」県づくりに向けたプロジェクトを打ち出しています。私自身、県民の1人として、こうした活性化していく様子をつぶさにみてきました。これからは政策サイドから関わっていきたいと思っています。

アドバイス

しっかり研究してきたことが伝わってくる。PRを超えて個人的な意見を述べているが、かえってこのほうが型どおりにならず、評価は上がる。積極的な姿勢をどんどんアピールしよう。

◆市の中心部に位置する城趾公園は桜が見事で、毎年春には市民ばかりでなく他地域からも大勢の人が訪れる名所となっています。山菜料理と渓谷美で知られる○○温泉は、作家の○○○○が愛した湯治場としても有名です。豊かな自然が残され、にぎやかな街の中心部とは別世界を形成しています。

アドバイス

観光の話題を述べるのはよいが、これでは観光ガイドのような印象を与える。観光名所については要点を整理して短くまとめ、別の視点を加えるようにしたい。

ANSWER書き込みスペース

Q [簡単に自己PRをしてください。]

答えるときのキーポイント

長すぎず短すぎずに、1分間程度にまとめる。あれもこれもと欲張ると、抽象的な単語の羅列になったり話が冗漫になりやすい。焦点をしぼって、具体的な事例をもとに話を展開させよう。「1分間」と時間を指定されることもあるので、何回も練習をしておくこと。ほかの人にはない個性的なエピソードやフレーズを用意しておくと、面接官の印象に残る自己PRができる。

★面接官はここをみる

- 自分を的確にとらえているか。
- 話の要点をわかりやすくまとめているか。
- 魅力的な自己PRになっているか。
- キラリと光る個性が感じられるか。

★ここはかならずチェック

- この質問は面接の早い段階で出されやすい。緊張の解けていない場合が多いので、しっかり準備をしておくことが、より大切になる。
- 面接は、すべてが自己PRともいえる。あらかじめ自己分析をしっかりして、自身のアピールポイントを把握することに努めよう。

覚えておこう プラス α

「あなたは自分に自信がありますか？」

このような質問をされたら、「ある」と答えるのが基本。ただし、自信過剰気味に聞こえてはいけないし、かといってかぼそい声で「自信があります」と話すのも頼りない。ちょうどよい聞こえ方にするには、具体的な話を織り交ぜるのがポイント。クラブで厳しい練習に堪えたこと、一生懸命勉強して英検® 合格を果たしたことなど、努力話や成功体験をさらりと話して、そこから「自信がつきました」ともっていけばよい。

回答例

◆私は人と話をしたり、いっしょに何かをすることが好きなので、生きるうえで何より人との交流を大切にしています。こうした性格は幼いころからずっと変わりありません。周囲からは「にぎやかすぎる」などと言われることもありますが、みんなで楽しく過ごす場では、全体のことを考え、意識して盛り上げようと努めています。

アドバイス

明るい性格、社交性をよくアピールできている。こういう感じで進め、このあとに公務員の仕事に結びつけるようにして締めくくるとよい。もっと具体的なエピソードがあると印象を強めることができる。

◆私は中学と高校で生徒会長を務めた経験があります。どちらの生徒会選挙でも「ゴミのない学校」を公約に掲げました。ほかの候補者たちが「校則を撤廃する」と派手なパフォーマンスをするなかで、ひときわ地味な候補者だったのですが、いずれも僅差で会長に当選しました。先生方からは「きみが会長になって学校がきれいになった」と言われました。このように、私はコツコツ努力を積み重ねることをふだんから心がけており、目標を最後までやり遂げる自信はあります。

アドバイス

ひょうひょうとした感じだが、ユニークで印象に残る。中高で生徒会長を務めたことで、リーダーシップがあることも伝えている。

ANSWER書き込みスペース

Q 自分の性格についてどう思いますか？

答えるときのキーポイント

答えづらい質問だが、このような質問も自己PRと考え、プラス評価につながる点を話すようにする。ただ、「性格をどう思うか」と聞かれているのだから、単にセールスポイントを並べるだけでなく、それについて自分はどう思うかを答えること。質問を無視して、自分をアピールすることばかり考えていては、自己中心的と思われたり、質問を聞きとる力がないとの評価もされかねない。

★面接官はここをみる

- 自分自身を理解し、把握できているか。
- 自己を冷静にみつめる目をもっているか。
- 話の要点をわかりやすくまとめているか。
- 質問に誠実に答えようとする姿勢はあるか。

★ここはかならずチェック

- 「公務員に向いている」と思ってもらえるような回答にするとポイントが高い。自分から「こういう点は公務員に向いていると思います」と、直接話のなかに入れてもよい。

覚えておこう プラスα

「あなたは短距離走型、それとも長距離走型ですか？」

何事も思ったらすぐ行動に移し、細かいことにとらわれずに動くのが短距離走型。これに対し一つの物事を深くみつめ、じっくり取り組んで成果を上げるのが長距離走型。人生を走りにたとえると、この二つのタイプに分けられる。もちろん、どちらが良いか悪いかではなく、公務員の職場にも両タイプが必要とされる。もしこんな質問をされたら、正直に自分の思うことを言えばよい。大事なのは優れている点を伸ばし、足りないと思う点を補う姿勢。それを感じてもらえるような答え方ができればベストだ。

回答例

◆ねばり強く、最後まであきらめない忍耐強さは、人一倍あると思います。この点は社会人になっても、自分の長所としてもちつづけたいです。妥協せずに、きちんと責任ある仕事のできる人間になりたいと思っています。

アドバイス

自分の性格を、社会人になってからどうありたいかにつなげている好例。このあと「どうしても妥協しなければならないときは？」といった質問をされたら、意固地にならず、柔軟に回答したほうがよい。

◆私はゼミの飲み会ではいつも幹事を任されています。自分ではピンと来ないのですが、教授からは信頼されているようです。ちょっとおっちょこちょいではあるのですが、かえってそれが明るい性格につながっていて、皆に支えられながらまとめていくリーダーだと思います。

アドバイス

明るく人柄の良さは伝わってくるが、「飲み会の幹事」を出すのは評価の分かれるところ。面接官によっては「軽い人間」とみるかもしれない。

◆あれこれ考えすぎずに、どんどん行動に移していけるところが自分の良いところだと思っています。行動力なら誰にも負けません。

アドバイス

自信のある態度はよいが、具体的な話を入れて説得力をもたせる努力を。

ANSWER書き込みスペース

Q あなたの個性や長所はどういう点ですか？

答えるときのキーポイント

自信のある堂々とした姿勢で答えよう。自分のセールスポイントを聞かれているのだから、内容だけでなく話し方も大切だ。「明朗」「意志が強い」と言いながら声が小さかったり、「物事を的確にとらえる」と述べておいて見当違いの話をするようでは、面接官の評価は下がる。内容に説得力をもたせるのはもちろん、話し方や態度からもそれが伝わるように心がけよう。

★面接官はここをみる

- 自分を客観的に正しくみているか。
- 公務員としての適性があるか。
- 個性を伸ばす努力をしているか。
- 自分に自信をもっているか。
- キラリと光る個性は感じられるか。

★ここはかならずチェック

- すでに自己PRとして長所を述べたあとに、あらためて「長所は？」と聞かれることもある。内容が重なる部分も出てくるのは仕方ないが、同じ表現の繰り返しにならない工夫が必要だ。

覚えておこう プラスα

「特技はありますか？」

特技について聞かれたら「とくにありません」の答えは避けたい。それで評価が下がるわけではないが、せっかくのアピールのチャンスなのだから、何かしら答えるべきだ。英検®や漢検、簿記などの資格も特技として答えてかまわないので、どんなものでも、あれば言ってみよう（普通自動車第1種免許は別）。ユニークなものなら、面接官も興味をもってそれについて聞いてくるだろう。場の雰囲気がよくなれば、好感をもってもらえることになり、評価も得られやすい。

回答例

◆物事を順序立て、整理して考えるところだと思います。たとえば、友人たちと議論になったとき、司会がいるわけではないので話の収拾がつかなくなることが多いのですが、それをまとめるのはたいてい私だったりします。自然に整理して、まとめる習慣がついているようです。

アドバイス

理路整然と物事を考え、整理上手な点をうまく長所として組み立て、アピールできている。

◆積極的で前向きなところや、ここぞという場面での勝負強さ、それから何事も最後までやりとおす責任感や忍耐強さ、地道に努力を積み重ねる姿勢もあります。その一方で大胆な発想をしたり、優しさやユーモア、社交性にあふれ、協調性や人情もありますので、人に好かれます。

アドバイス

具体的な話を入れずに長所を羅列すると、まったく説得力がない。自分のアピールしたい点にしぼって、真実味のある回答をすること。

◆人の立場に立って物事を考えられるところです。でも、相手の立場を考えすぎてしまい、損をすることの多い性格ですね。

アドバイス

これでは長所が台なし。プラス方向に話を展開させよう。

ANSWER書き込みスペース

Q［あなたの短所はどんなところですか？］

答えるときのキーポイント

明らかに印象を悪くする言葉は使わず、やわらかい表現の言葉を選ぶこと。そのうえでプラスイメージになるエピソードを加えると、短所に関する質問も自己 PR にできる。また、その短所を自分としてどう思っているかを述べたり、改善する姿勢を具体的に述べることでも、高い評価につなげることが可能だ。小さな声で自信なげな態度や、暗く重い雰囲気にならないよう注意して、ハキハキと答えよう。

★面接官はここをみる

- 自分を客観的に正しくみているか。
- 公務員としての適性があるか。
- 短所を自分のなかでどう受け止めているか。
- 短所を改善する努力をしているか。
- 豊かな個性は感じられるか。

★ここはかならずチェック

- 長所と短所は表裏一体。「小さなことで悩まない」は、「細かな配慮に欠ける」ことにもなりえる。長所と短所をいっしょに聞かれることも多いので、一つのものとして考えておこう。

覚えておこう プラスα

「自分の性格で嫌いなところはどこですか？」

誰でも自分の嫌いなところはあるが、面と向かって質問されると答えづらいものだ。こういう聞かれ方もあると頭の片隅に置いておこう。この場合も短所についての質問と同じように、神妙にならずプラスイメージに転じさせるつもりで答えたい。かならずしも「短所」イコール「嫌いなところ」ではないかもしれないが、難しく考えずにさらりと答えよう。改善の余地がある部分を探し出せばよい。もちろん明るく、元気に発言するのを忘れずに。

回答例

◆わがままで自己中心的なところだと思います。決して悪気はないのですが、気分屋なものですから、知らないうちに迷惑をかけていたりするようです。時間にルーズなので、待ち合わせで迷惑をかけることも多いです。

アドバイス

正直に言いすぎていて、プラス材料が見出せない。「わがままで自己中心的」と二つも悪いイメージの言葉を重ねるのは要注意。「気分屋」「ルーズ」は「うっかりすることがあり」などと言い方を工夫すること。

◆私の短所は、のんきといいますか、楽観的なところがありまして、友人からはよく「もっと悩め」と言われたりします。

アドバイス

個性的な回答で、かえって本人の人柄をよくアピールできている。言葉の選び方やエピソードの使い方しだいで、こういう回答もできるのだ。

◆ふだんはそうでもないのですが、何かに夢中になると人の意見を聞かなくなる傾向があるようです。一生懸命になるのはいいことだと思いますが、人の意見は大切ですから、どんなときでも視野を広くもちたいです。

アドバイス

自分を客観視し、短所を改善しようとする意志が伝わってくる。具体的な話を交えて話すと、もっと前向きな印象になるだろう。

ANSWER書き込みスペース

Q まわりの人からどうみられていると思いますか？

答えるときのキーポイント

この質問に対しては、あまり良い面ばかり強調すると自信過剰の印象を与える。自分で思っているより、周囲の評価のほうが厳しいことをわきまえたうえで発言をしよう。とはいえマイナス評価につながるような内容も控えること。あらかじめ友人や家族などから意見を聞いておこう。周囲の人からのコメントに、自身の新たな魅力を発見することもあるだろう。

★面接官はここをみる

- 自己分析・評価がしっかりできているか。
- 周囲からの評価を理解しているか。
- 周囲からの評価をどう受け止めているか。
- 自信過剰や自意識過剰になっていないか。
- 人間関係をうまく築けているか。

★ここはかならずチェック

- この質問の前に、長所や短所など自己評価を聞かれている場合が多い。そこで答えた内容と、周囲からの評価が近いほど、自分を知っていることになる。

回答例

◆明るく活発で、いつでも積極的に行動しますので、頼りになる人間だとみられていると思います。リーダー的な役割を任されることも多いですから、リーダーシップもあると思われているでしょうね。

アドバイス

自分に自信があるのはよいが、具体的に説明していないので少し嫌味に聞こえる。積極的に行動する例や、何のリーダーを任されたことがあるかなど、具体的な内容を織り込めば説得力をもたせられる。

◆友人からは、よく「マイペース」だと言われます。確かに自分でも、人の意見に左右されないよう心がけているので、それが「マイペース」と映っているのかもしれません。

アドバイス

周囲の人から「○○と言われます」と使うのも一つの手。そう思われていることに対し、自分はどう思っているかまで言及するとなおよい。

◆あまり細かい点を気にしませんので、大ざっぱでいいかげんだと思われているのではないでしょうか。

アドバイス

マイナスな表現である「いいかげん」は使わないこと。「細かい点を気にしない」点を、プラスにもっていく話し方をしよう。

ANSWER書き込みスペース

Q［周囲の人とうまくやっていく自信はありますか？］

答えるときのキーポイント

公務員にかぎらず社会人として仕事をするには、多くの人たちと上手な関係を保たなければならない。その意味で、この質問は「自信があります」と答えるのが当然で、いかにそれを説得力あるように語るかがポイントになる。自分のこれまでの体験などをもとに、性格や対人関係について述べ、さらにその能力を職場でどう生かすか、また今後の抱負などに発展させて答えると、評価の高い回答になる。

★面接官はここをみる

- 協調性があるか。
- 社交性やコミュニケーション能力があるか。
- 自分を正しく分析・理解しているか。
- 人とうまくつきあおうとする姿勢が感じられるか。

★ここはかならずチェック

- 遠慮をして「自信というほどのものはないのですが……」と前置きしたり、「自信があるかと聞かれれば、あるほうかもしれませんが……」とあいまいな言い方はしないこと。ズバリ「自信があります」と言い切る姿勢が大切。

覚えておこう　プラスα

「対人関係で困った経験はありませんか？」

多くの人は対人関係で、悩みというほどではなくても、難しさを感じたことはあるはず。面接官はその経験について質問することで、社会人に必要な協調性や社交性をみようとしているわけだが、どの程度まで答えてよいか、難しいところだ。現在も悩んでいるかのような内容は避けるべき。また、前向きな話につなげられないものもよくない。どんな経験談を話すにしても、かならず最後はプラスのイメージにもっていくことが重要だ。

回答例

◆はい、うまくやっていけます。幼少のころから現在まで、とくにグループで孤立したとか、問題を起こしたといった経験はありませんので、社会人になっても大丈夫だと思います。もちろん学校と職場が同じとは思いませんので、人間関係が円滑にいくよう努力をするつもりです。

アドバイス

自信をもって言い切る姿勢は頼もしい。ただ、これまでは問題を起こしていないからというのが理由だと、やや信頼性に欠けるので注意。

◆はい、自信はあります。私は人と話をしたり、いっしょに一つのことに取り組んだりすることが好きなので、人と過ごす時間がとても大切です。ですから、良い関係が保てるようつねに心がけています。

アドバイス

社交性を前面に出したアピールの仕方で、好感がもてる。

◆人との関係は大事ですので、いつも人の気持ちを考えて接するようにしています。それで、これまでは、うまく人づきあいができていますが、どんな人ともうまくやれるとはかぎりません。なかには相性の悪い人もいるでしょうから、この先がどうかは断言できないと思います。

アドバイス

よくいえば慎重派だが、マイナス思考の人間と判断されかねない回答。

ANSWER書き込みスペース

Q [あなたにはリーダーシップがありますか？]

答えるときのキーポイント

リーダーシップがあれば評価が高く、ない人は低いわけではない。職場にはいろいろな役割があり、リーダーを補佐する能力に優れた人や、スペシャリストとして専門分野に力を発揮できる人なども求められる。自分にリーダーシップがあると思う人は、過去のリーダー経験などを織り交ぜ、自信をもって回答しよう。そうでない人は、ほかの良いところを不自然にならないようアピールするとよい。

★面接官はここをみる

- リーダーとしての資質があるか。
- リーダーとしての実績や経験はあるか。
- 自分をしっかり分析・理解できているか。
- 集団のなかでの役割を心得ているか。

★ここはかならずチェック

- 総合職の採用者は将来の幹部候補生となるため、リーダーシップがかならず求められる。これまでのリーダーとしての実績、経験をできるだけ具体的に話せるよう、しっかり準備しておこう。

回答例

◆はい、リーダーシップのあるほうだと思います。中学のときは生徒会長を、高校ではハンドボール部で部長をしていましたし、日常的な友人とのつきあいでも、リーダー的な立場に立つことが多いです。

アドバイス

生徒会、クラブ活動と、わかりやすい具体例を挙げているので説得力がある。当時のエピソードを何か用意しておくとよいだろう。

◆私はリーダーとして集団を引っ張るより、リーダーのサポートをする立場で、能力を発揮できるタイプだと自己分析しています。職場ではそうした役割も必要だと思いますので、鋭い意見を出して活性化させたり、"縁の下の力持ち"的な人間をめざしたいです。

アドバイス

自分を冷静にみつめていることが伝わってくる。職場での抱負を語っている点も評価できる。

◆これといったリーダーの経験はないのですが、積極性や人心掌握術には長けていますので、リーダーシップをとる自信はあります。

アドバイス

長けていると自ら宣言するのなら、根拠を示さないと、自信過剰か、やる気だけ空回りしているように思える。話に具体性をもたせること。

ANSWER書き込みスペース

Q［趣味について話してください。］

答えるときのキーポイント

趣味については、履歴書や面接カードの記載内容をもとに質問されるのが原則。記載と異なる趣味を言わないのはもちろん、どのような角度から攻められても危なげなく回答できる準備が必要だ。また、回答の内容で個性をアピールしやすい項目ではあるが、読書や音楽、スポーツなど、同じような答えになりがちな側面もあるので、エピソードをどれだけ盛り込めるかがポイントになる。

★面接官はここをみる

- プライベートタイムの充実につながる趣味をもっているか。
- その趣味はどの程度のレベルか。
- 趣味を通じて何を得たか。
- 個人的な喜びや充実感について、共感の得られる説明ができるか。

★ここはかならずチェック

- エピソードを交えた具体的な話に加え、その趣味によって何を感じ、何を得たかまで語ると、魅力的な回答になる。
- 教養の高さを感じさせる話、仕事内容につながる話になればなおよい。

覚えておこう プラスα

「休みの日はどう過ごしていますか？」

もっともプライベートな時間である休日の過ごし方を聞くことで、受験者の個性や人間性をみようとする質問。嘘の話をつくるのはいけないが、あまり正直に答えすぎるのも問題だ。たとえば「友達と街なかをブラブラしています」「彼女（彼氏）と過ごしています。映画を観に行ったり、買い物に出かけたり、部屋で2人で過ごすことも多いです」の回答では自己アピールにつながらない。目的のある行動や有意義な過ごし方を探し、それを強調して答えよう。

回答例

◆映画鑑賞です。映画好きの友人と、それぞれ感動した作品について「おすすめレポート」を書いて、交換しています。最近はその輪が広がって、7人になりました。人との交流にもなって、とても充実しています。

アドバイス

作品のレポートを交換しあうエピソードによって、平凡な趣味「映画鑑賞」にもオリジナリティが出ている。好きなジャンルや作品、本数などの質問にもすぐ答えられるように。

◆一輪車です。家から大学まで、最初は自転車で通っていたのですが、味気なくなってきて、そこで思いついたのが一輪車でした。これなら両手が空くので、朝食を食べたり、いろんなことができるんです。

アドバイス

個性的な趣味は、良くも悪くも面接官の印象に残りやすい。マニアックなものは控えたほうがよい。また、朝食を食べながら一輪車に乗るのは非常識な行動。誰もが納得できる楽しみ方を紹介しよう。

◆食べ歩きです。友人に誘われてたくさんの街を歩くうちに、いろんな人や料理に出会えて、視野が広がりました。

アドバイス

自分の得たものを語っている点がよい。エピソードをいくつか用意する。

ANSWER書き込みスペース

Q［最近読んだ本について話してください。］

答えるときのキーポイント

古いものでも新しいものでも、小説でもノンフィクションでも、ジャンルは何でもよい。書名や著者名を挙げ、簡潔に内容を伝えたうえで、自分はどんな感想をもったか、どういう点に感銘したか、さらにその本を読んだことで何を得たかなどについて話す。言いかえれば、何も得るものがなかった本は、挙げるべきではないのだ。内容に踏み込んだ質問をされても対応できるよう、しっかり準備しておこう。

★面接官はここをみる

- 読書の習慣のある人物か。
- なぜ、その本に魅力を感じたのか。
- 読書から何かを得ようとしているか。
- 要点を的確にまとめて話す力があるか。

★ここはかならずチェック

- 有名な本の場合は、ありきたりな感想や意見では自分をアピールできない。ユニークな視点から論じる工夫が必要になる。

回答例

◆「○○」という日本の金融問題について書かれた本を読みました。社会人になるための準備として、社会や経済のしくみを知っておきたいと思い、最近、こういった本をよく読んでいます。経済ジャーナリストの○○さんが書いたものです。実際にたくさんの銀行や企業に取材し、具体的な内容を示しているので、難しい内容もとてもわかりやすくまとめられていると思いました。

アドバイス

「社会人になるための準備」と本を読んだ理由を明確に説明している点がよい。目的意識があり、素直で一生懸命な姿勢が感じられる。この手の本を読んだ場合は、自分の知らなかった知識を得られることが多い。どんな発見があったかを具体的に述べるとよい。

◆最近読んだのは○○さんの小説「○○」です。知人のすすめで読んだのですが、主人公の感情の描き方が不十分で、葛藤があまり感じられなかったせいか、全体にあいまいな印象でした。作者の視点が主人公の好きな男性のほうに行きすぎているのではないでしょうか。

アドバイス

こうした回答をすると、批評家タイプだと判断される。たとえ優れた批評をしても、面接官の印象はよくない。素直な印象をもたれるよう、理屈っぽくならず、肯定的な意見や感想を述べるべきだ。

ANSWER書き込みスペース

Q ［ストレスはどのようにして解消していますか？］

答えるときのキーポイント

仕事をするようになると、ストレスは誰でもたまるもの。これを無理なく解消できたり、意識的にためない努力のできる人は、優れた仕事をするための条件を備えていることになる。建設的で前向きなストレス解消法をもっているなら、それをそのまま話せばよい。人に迷惑をかけるようなものや、ギャンブルや深酒など、面接の回答として好ましくないものは避けること。

★面接官はここをみる

- 若者らしいストレス解消法をもっているか。
- 日常を前向きに送る姿勢があるか。
- 自分のコンディションを整える方法を知っているか。

★ここはかならずチェック

- 健康状態や健康法などについて聞かれることも多い。若いうちはとくに健康法などないかもしれないが、体調を整えるために心がけていることが一つくらいあるはず。健康的で前向きな姿勢をアピールするためにも、何かしら答えるべきだ。

覚えておこう プラスα

「お酒は飲みますか？　タバコは吸いますか？」

とくにストレス解消法としてではなく、嗜好品に関する質問として、こう聞かれることがある。正直に答えてよいが、お酒の場合、人づきあいにからんでくるものなので、飲めない人でも「まったくダメです」と否定するのではなく「つきあい程度ですが」ぐらいの表現がよい。反対に強い人は、「ボトル１本空けたこともあります」などの自慢話にならないよう注意しよう。タバコの場合は、喫煙への社会的許容度が下がり、受動喫煙防止で構内原則禁煙などのルール化も進んでいる。節度ある表現を心がけたい。

回答例

◆近くに市民体育館があるので、そこに友人と出かけて、テニスをしたり、室内プールで泳いだりと、スポーツをして解消しています。そのあと、友人たちとおしゃべりをするのも楽しい時間です。

アドバイス

スポーツや友人との語らいは健全なストレス解消法で、無難な回答といえる。よくありがちではあるが、好感はもたれる。

◆やっぱりお酒ですね。１人で飲むこともあれば、大勢でどんちゃん騒ぎすることもあります。お酒で嫌なことを忘れるのが一番です。

アドバイス

「嫌なことを忘れる」は逃避的な印象を与えるので好ましくない。飲酒を挙げるなら「友人と楽しく飲む」の表現にすること。

◆ふだん忙しくしていますので、ストレスを感じたら、何も考えず、ボケーッと過ごすようにしています。部屋でごろ寝をして、何となくテレビを見ながら、ダラダラしているとスッキリします。

アドバイス

こうしたストレス解消法もあるかもしれないが、前向きな姿勢が感じられないので面接官の評価は低い。「ボケーッと」や「ダラダラ」は、「のんびり」や「ゆっくり」と表現する。

ANSWER書き込みスペース

Q 学生と社会人はどんな点が違うと思いますか？

答えるときのキーポイント

よく聞かれる項目だが、回答に個性の出しにくい質問でもある。模範回答としては「自分で考え、行動する機会が増える」「責任感が要求され、甘えが許されない」「人との関係に配慮しながら行動しなければならない」など。自分なりに考え、独創的な回答をするのもよいが、あまり奇をてらうと印象を悪くすることもある。オーソドックスな答え方をして、誠実さをアピールするほうが無難。

★面接官はここをみる

- 学生と社会人の違いを理解しているか。
- 具体的に述べているか。
- 働くことについてどんな意識をもっているか。
- 社会人となる自覚があるか。
- 仕事に対する真面目な姿勢をもっているか。

★ここはかならずチェック

- 職業観とともに、常識的な視点があるかどうかも問われている。ユニークな視点から回答する場合も、模範回答として上に挙げたポイントをおさえつつ、自分なりのアピールをすること。

覚えておこう プラスα

「働くことの意味とは何だと思いますか？」

職業意識を問う質問として、こう聞かれることも多い。働くことの意味は人によって千差万別だが、模範的な回答としては「社会の一員として世の中を形成する」「精神的、社会的、経済的に自立する」「生活の基盤をつくるための活動」「自己実現のための活動」「幸福をつくるための活動」などが考えられる。これらのポイントをおさえたうえで、自分なりの回答を模索してみるとよい。ただし、あまり個人的な内容に偏ったものにはしないほうが無難。

回答例

◆学生時代は多少のわがままや甘えは許されたかもしれませんが、社会人になったら認められないと思います。大人としての自覚をもって、自分を律して仕事に取り組むことが求められると思います。

アドバイス

教科書的な答え方だが、社会人としての自覚をしっかりもっているのが伝わればよい。ハキハキと明確な発音で、背筋を伸ばして答えよう。

◆責任があるかないかです。社会人は仕事をして、その対価としてお金を受け取るわけですから、責任ある態度が求められます。手を抜いても給料はもらえる、といったいいかげんな気持ちではいけないと思います。

アドバイス

やや理屈をこねている印象を受けるが、誠実な姿勢は感じられる。お金のことを回答に盛り込む場合、慎重に言葉を選ぶこと。

◆これまで小中高大と勉強してきたのは、社会に出て大きく羽ばたくためだったと思っています。これまでは準備期間、これからが人生の本番です。学生は巣立ちを待つヒナで、社会人は大空を舞う鳥だと思います。

アドバイス

少々おおげさなたとえだが、ポイントをおさえつつ独自性のある答え方ができている。確実に面接官の印象に残る。

ANSWER書き込みスペース

Q ［公務員と民間の仕事の違いはどこにあると思いますか？］

答えるときのキーポイント

答えがある程度、決まっているので、個性の出しにくい質問。自分なりの視点や言葉で語る工夫が必要。注意したいのは、民間を攻撃するような言い方や、公務員を必要以上にもち上げて表現すること。いくら公務員試験の面接とはいえ、偏ったものの見方はマイナス評価につながる。それぞれの仕事の特色、問題点などを客観的に論じる姿勢を保つ。さらに、公務員をめざす真剣な気持ちを伝えられればベスト。

★面接官はここをみる

- 公務員の仕事や立場を正しく理解しているか。
- 公務員をイメージでなく具体的にとらえ、述べているか。
- 公務員をめざす意志が感じられるか。

★ここはかならずチェック

- 両者の根本的な違いは「公共のために働くか、企業個々の営利のために働くか」にあるが、それをどういう切り口で語るかは各自の判断になる。具体例を盛り込み、わかりやすい答えを工夫すれば、それだけ評価は高くなる。

回答例

◆公務員は公共の利益のために仕事をしますが、民間企業は会社の営利を追求する点だと思います。もちろん企業にも社会的責任があり、社会課題に取り組む姿勢も求められますが、やはり儲けにならない事業は継続できません。民間にはできない公務員の役割が、そこにあると思います。

アドバイス

儲けになるかならないかを基準に、両者の違いを述べている。儲けにならなくても必要とされる公務員の仕事の例を、具体的に挙げるとなおよい。

◆競争があるかないかが、大きな違いだと思います。民間企業は他社との競争が激しいですから、業務の効率化や顧客サービスが充実しています。最近は公務員の仕事にも競争の考え方がもち込まれるようになってきましたが、もっともっと取り入れる必要があると思います。

アドバイス

競争の有無で論じ、公務員の問題点を冷静に指摘している点も評価できる。どんな点に競争原理がもち込まれているか、具体例を用意しておこう。

◆民間企業は会社の利益が減ると社員にも影響が出ますが、公務員は税金をもとに給料が支払われますから、比較的安定した職場だといえます。

アドバイス

給料や安定性への言及は、相当な工夫がないかぎり控えたほうがよい。

ANSWER書き込みスペース

Q［上司と意見が対立した場合、どうしますか？］

答えるときのキーポイント

上司の意見を尊重しつつ、間違っていると思う場合は失礼にならない範囲で自分の意見を述べるのが妥当な考え方。これを基準に、自分の価値観と照らし合わせて回答を考えてみよう。極端に従順だったり、自己主張が強いのは敬遠される。バランス感覚のあることをアピールする回答が好ましい。人間的な器量が問われる質問なので、いいかげんな答え方をするとかなり評価が下がるので注意。

★面接官はここをみる

- 組織のなかで働く柔軟性、協調性があるか。
- 人の意見を尊重する器量のもち主か。
- 自分の意見を述べる積極性、主体性をもっているか。
- 公務員としての適性があるか。

★ここはかならずチェック

- 組織のなかでは上司、部下との関係は大切。その関係性を理解しているかどうかもポイント。
- どんな回答をするにしても、自信をもって明快に答えること。

覚えておこう プラスα

「職場ではどんな人間関係をつくりたいですか？」

この質問に対する模範回答は「仕事が効率よく、円滑に行えるような人間関係」。したがって、その人間関係をどんな言葉で表現するか、あるいはどういう切り口で語るかが重要で、そこに受験者の性格や人間性も表れる。明るさ、楽しさを前面に出すのか、それとも仕事の能率面を重視するのか、あるいはチームワークを大切にしたいのか。学生時代の人間関係を例に出して語るのも一つの方法だ。回答をよく考えておき、発言のときは大きな理想を掲げるつもりで話そう。

回答例

◆職場では和が第一ですから、上司の意見に従います。ときには自分の意見も出しますが、それで雰囲気が悪くなるのでは、かえって仕事に差しつかえると思います。その場の状況や上司の顔色をみて対応したいです。

アドバイス

柔軟性のあることは感じられるが、“ご機嫌取り”や“八方美人”のような印象も受ける。バランス感覚のある人物と、どっちつかずの人間とでは評価が異なる。もう少し回答を練り直したほうがよい。

◆尊敬する気持ちをもったうえで、納得いくまで話し合いたいと思います。議論を深めることが、より優れた仕事につながるでしょうし、人間関係を築くためにも、互いの考えを話すことは必要です。どうしても折り合いがつかない場合は、上司の考えに従います。

アドバイス

主体性、柔軟性ともに感じられる無難な答え方ができている。

◆その上司によると思います。尊敬できる人物であれば従いますが、そうでない人の場合は、私からも意見を言うと思います。

アドバイス

現実的なものの見方だが、面接の回答としては敬遠される。受験者の対処能力をみようとしているのだから、これでは評価は低い。

ANSWER書き込みスペース

Q［仕事と私生活のどちらを大切にしたいですか？］

答えるときのキーポイント

「仕事です」「私生活が大切です」と、かならずしもどちらかに断定する必要はない。あいまいな印象を与えてはいけないが、やや仕事に比重を置きつつ、両立させる方向で語るのがベスト。ただ面接官の第一のねらいは、仕事に対する意識や熱意をみることにあるので、あまり型どおりの回答を述べるのでは印象が弱くなってしまう。バランスを保ちつつ、やる気を感じてもらえる答え方を心がけよう。

★面接官はここをみる

- 仕事への熱意はどれくらいあるか。
- 働く人間としての適性はどうか。
- バランスのとれた考え方をしているか。

★ここはかならずチェック

- 仕事中心、私生活中心、どちらかに偏った考えは好ましくない。均等になるよう考えた回答でも、実際に話してみると、意外にどちらかにニュアンスが偏ってしまったりする。回答を準備したら、声に出してチェックしてみるとよい。

回答例

◆仕事を大切にしたいと考えます。もちろん、プライベートな時間を充実させたい気持ちもあります。でも、公務員として社会のために働く以上、仕事は生活費を稼ぐためのものと、ドライに考えるのではなく、責任感をもって取り組むつもりです。

アドバイス

仕事に適度に比重を置いた無難な回答で、好感がもてる。

◆仕事に人生をかけるつもりでいます。公務員だから、適当に仕事をしていれば、楽に一生を暮らせるかもしれません。ですが私は、そういう公務員でなく、仕事を何より第一と考える公務員でありたいと思います。

アドバイス

意欲を伝えようとするあまり、やや偏った答えになっている。公務員は適当に仕事をしていればよいとの見解もよくない。

◆どちらともいえません。たとえば結婚して、仕事ばかりで家庭を放っておくのはよくないですし、家庭を大切にするあまり、仕事に集中できないのもいけないと思います。両方のバランスを保つことが第一です。

アドバイス

考え方はよいが、話し方に前向きな姿勢が感じられない。「どちらともいえません」ではなく「どちらも大切にしたい」の表現のほうがよい。

ANSWER書き込みスペース

Q ［子育てと仕事の両立をどう考えますか？］

答えるときのキーポイント

男女共同参画の考えに基づき、子育てを含む個人生活と職業生活をどう両立させていくかは男女共通の課題である。公務と家庭との両立を支援する制度も充実しつつあり、男性の育児休業取得もめずらしい話ではなくなってきた。その点もふまえて答えたい。家庭をもつということにはまだ実感が伴わないかもしれないが、当然ながら、子育てと仕事のバランスをとりながら両立させる、というスタンスが望ましい。

★面接官はここをみる

- 考え方が前向きで向上心に富んでいるか。
- 男女共同参画の理念を理解しているか。
- 仕事への熱意や意欲はどの程度あるか。
- そう答えた明確な理由を述べているか。

★ここはかならずチェック

- 結婚後も男女が平等に働き続けるには、旧来の性別役割分業にとらわれてはいられない。そのあたり、自分自身の価値観を見直しておこう。
- 仕事と家庭の両立支援制度については、人事院ホームページ「国家公務員試験採用情報NAVI」でも紹介されている。目を通しておこう。

覚えておこう プラス α

「育児休業を取得しますか？」

これは男性への質問。2019年12月に「国家公務員の男性職員による育児に伴う休暇・休業の取得促進に関する方針」が女性職員活躍・ワークライフバランス推進協議会から示され、次年度から子どもが生まれたすべての男性職員の1か月以上の休暇・休業取得が基本方針となった。子の年齢に応じた柔軟な働き方の実現に向け、法改正もたびたびなされている。国全体の育児休業取得率向上のためにも公務員は率先して取得すべき立場。「業務の調整を上司とよく相談し、ぜひ取得します」が模範的な回答。

回答例

◆子育て支援は、少子化の時代にあって欠かせないサービスだと思います。まだ具体的に提案できませんが、自分自身が仕事と子育てを両立させる体験をしながら、より良い制度にしていけるように考えていきたいです。

アドバイス

少々優等生的な答えだが、男女ともに使える前向きな回答例。仮に男性の場合、自分が子育てのどんな部分に参画できるか考えておきたい。

◆結婚して子どもをもっても仕事を続けたいと思います。公務員は比較的、女性が仕事を続けやすい環境で、実際にそうした方も多いと聞いています。家庭を大切にしながら、仕事をがんばりたいです。

アドバイス

余計な言葉を入れず、このように素直に答えるのもよい。「なぜ仕事を続けたいのですか」と聞かれたときの答えも準備しておこう。

◆子育てはパートナーになる女性に任せます。なので、家庭をもったら、ますます仕事に精を出せると考えています。

アドバイス

仮にそう決めていたとしても、育児を共に担う方向で答えるのが望ましい。「男の産休」、育児休業だけでなく、育児時間、年次休暇など、制度も充実してきた。そのねらいを理解しておこう。

ANSWER書き込みスペース

Q 転勤することは可能ですか？

答えるときのキーポイント

まず、こう質問されたら、かならず「可能です」と答えよう。「できません」と拒否する回答や、あいまいな答え方はまずい。もし転勤の可能性が考えられない職種で質問されたら、仕事に対する誠実さや熱意、積極性などを問われていると考える。この場合、「可能です」と答えるのはもちろんだが、「将来、結婚して家庭をもったらわかりませんが……」の前置きは消極的に聞こえるので注意。

★面接官はここをみる

- 転勤は可能かどうか。
- 仕事への熱意はどれくらいあるか。
- 積極的な姿勢が感じられるか。
- 柔軟な取り組みができそうか。

★ここはかならずチェック

- 国家公務員はもちろん、地方公務員でも勤務地によっては地域内での転勤も考えられる。転勤の有無・程度について調べておくとよい。
- 回答が画一的になりやすい質問なので、自分なりの表現を考えておくと、面接官の印象に残りやすい。

覚えておこう プラスα

「配偶者が転勤になったらどうしますか？」

将来、結婚相手の転勤もありえる。子育てと仕事の両立についての質問と同趣旨だが、こういう質問も予想できる。そのときにならないとわからない、というのが正直なところかもしれない。しかし、回答は用意しておきたい。国家公務員には、配偶者の海外転勤等についていくために最大3年間休業できる「配偶者同行休業制度」も用意されている。「状況によってはこの制度も利用して、職業生活の継続をめざします」と答えるのもよいだろう。

回答例

◆はい、可能です。いろいろな土地で生活したり、多くの人に接することは、自分を人間的に成長させてくれると思います。もともと旅好きでもありますし、転勤には喜んで応じたいです。

アドバイス

前向きな姿勢を示していて、高い評価が得られる答え方。積極的に転勤に応じようとする気持ちがストレートに伝わってくる。

◆はい、転勤のあることを承知のうえで志望していますから、可能です。私は長男ですが、とくに家を継ぐ必要はないですし、むしろ親元から離れたいくらいなんです。

アドバイス

「親元から離れたい」は余計だが、長男の人は「長男だが問題ない」ことを強調しておくのもよい。

◆はい、大丈夫です。しかし結婚して家庭をもったら、できれば転勤はないほうがありがたいです。もしどうしても転勤できない状況になったら、考慮していただけたらと思います。

アドバイス

消極的な印象を与える答え方。やむをえない事情があれば転勤を断ることも可能だが、それはそのときに考えればよいこと。

ANSWER書き込みスペース

Q ［望まない部署に配属されたらどうしますか？］

答えるときのキーポイント

どんな部署でも意欲的に取り組む姿勢があることを、はっきり伝える。もちろん希望職種はもつべきだが、それに固執しないで、幅広く仕事をこなせる人間であることを示す。ただ、「どんな部署・仕事でもかまわない」「公務員にさえなれればいい」と後ろ向きの印象を与えないように注意する。順応性や適応性と、仕事への意欲を、同時にアピールできるような回答がベスト。

★面接官はここをみる

- 仕事に対する意欲は感じられるか。
- どんな仕事でも対応できる資質はあるか。
- 希望する部署・仕事ははっきりしているか。
- その部署・仕事をどの程度、望んでいるのか。
- 組織で働く人材として、誠実さを備えているか。

★ここはかならずチェック

- 希望職種があることを、それとなくにおわせると、意欲のアピールにつながる。
- 誠実に、柔軟に回答する姿勢を第一に心がけよう。

覚えておこう プラスα

「つらい仕事でも大丈夫ですか？」

漠然とした質問で、面接官の意図はわかりづらいが、仕事への自覚があるか、自分に自信があるか、体力や精神力はどうかなどが問われていると考えられる。「大丈夫です」と答えるのは当然として、さらにそう答える根拠を述べる必要がある。こうした漠然とした質問は、どんな答え方をするかも評価の対象になっていると考えたほうがよい。体力面、精神面、経験談など何でもよいので、自分のアピールできるものを土台に、「大丈夫」の根拠を話そう。

回答例

◆どこに配属されても、前向きに仕事に取り組むことに変わりはありません。組織の人事ですから、すべて希望どおりにいかないのは承知しています。研修制度が充実していると聞いていますし、いろいろな部署で働くことは、自分を磨くことにもなると思います。

アドバイス

組織のことを理解する姿勢、自分を磨こうとする意欲など、誠実な人間であることが伝わってくる。

◆そういうところこそ、自分の勉強の場になるはずです。多くのものを吸収できるチャンスだと思います。そこで学んだものを、希望の職種に就いたときに生かしたいです。

アドバイス

ピンチをチャンスに変える発想は、有能な人材と思わせる。希望の職種があることをにおわせているのもよい。

◆公務員に採用されましたら、望む望まないにかかわらず、どこでもかまいません。精一杯仕事をしますから、よろしくお願いします。

アドバイス

採用されたい気持ちは感じられるものの、軽薄で、こびている印象も受ける。自分をしっかりもつ必要がある。

ANSWER書き込みスペース

Q［社会人になる抱負を聞かせてください。］

答えるときのキーポイント

何について語るかは各自の判断。あれもこれもと欲張らずに焦点をしぼって答える。たとえば、将来こうありたいと思う人物像、やってみたい仕事、学生時代の経験をふまえた社会人としての目標など。前向きな姿勢をみせるのはもちろん、具体的な内容を盛り込み、納得できる内容にすることが高い評価につながる。その場で考えてもありきたりの言葉しか出てこないので、かならず回答を準備しておこう。

★面接官はここをみる

- 社会人になる自覚をしっかりもっているか。
- 自分の将来像を確立させているか。
- 具体的に述べているか。
- 個性は感じられるか。

★ここはかならずチェック

- あまりに現実的な話では魅力が感じられない。自己アピールのチャンスなのだから、大きな夢を語るつもりで大胆に。
- 公務員の仕事にからめた回答は高い評価を得やすい。

覚えておこう プラス α

「採用になったら、4月までどう過ごしますか？」

この質問の答えにも、社会人となるにあたっての自覚や心がまえが表れる。「最後の学生生活ですから、思い切り羽を伸ばします」では社会人としての自覚はアピールできない。社会に出る準備として、「自分を高める」ために何かをして過ごすことが望ましい。「新聞を毎日隅々まで読んで、政治や経済、社会の動きに関心を深める」「パソコンのスキルを磨く」「英会話をマスターする」など何でもよい。前向きに何かをする姿勢を伝えることが大事だ。

回答例

◆学生時代にイギリスに留学した経験があります。私が滞在していたのは日本人の少ない田舎でしたので、英語ばかりでなく、人との交流がいかに大切かを学ぶことができました。仕事のうえでも、つねに人を意識し、考えられる社会人になりたいと思います。

アドバイス

経験に基づいた話は説得力がある。イギリス留学時にどんな交流があったか、エピソードを加えるとさらに魅力的な回答になる。

◆これまでは学生の立場で甘えが許されましたが、社会人になったら自分を律して、公務員の仕事のためにがんばるつもりです。失敗をおそれないで、チャレンジ精神をもって毎日を送りたいです。

アドバイス

前向きな姿勢はわかるが、具体的な話がないため、やや空回りして聞こえる。何か一つでもよいので具体的な内容を入れよう。

◆仕事とプライベートのめりはりをつけ、どちらも充実させたいです。趣味の料理の腕を磨いて、一流料理のできる公務員をめざします。

アドバイス

面接官によっては不評を買うかもしれない。しかしウイットがあり、かつ人間的なバイタリティが感じられる。こうした答え方もおもしろい。

ANSWER書き込みスペース

Q ［ゼミで学んだことについて聞かせてください。］

答えるときのキーポイント

研究テーマについて簡潔に説明し、なぜそれを選んだか、そこで何を学んだか、どんな難しさがあったか、得たものは何か、それを今後どう生かすかなどを述べる。軸になる内容は履歴書や面接カードで提出してあることが多いので、それについて補足したり、エピソードを加えるなどして、どれだけ魅力的な話にできるかがポイント。テーマと仕事に関連性があれば、そこに言及するとよい。

★面接官はここをみる

- 研究テーマをわかりやすく説明しているか。
- 真剣に取り組んでいるか。
- ゼミを通して何を得たか。
- 充実した学生生活を送っているか。
- 考え方が前向きで向上心があるか。

★ここはかならずチェック

- ほとんどの人が聞かれる質問で、大学生活の充実度をアピールするチャンスでもある。十分に回答を練っておこう。
- ゼミに所属していない人は、それだけで不利になる。なぜ入らなかったのか、納得させられる説明を用意しておくこと。

覚えておこう プラスα

「卒論のテーマについて聞かせてください」

卒論についても、ほぼゼミの質問と同様の点に気をつけて回答すればよい。両方とも比較的、答えやすい質問なので、面接の冒頭で出されることが多い。注意したいのは、専門用語の羅列や内容が細かくなりすぎること。面接官はそのテーマについては素人と考え、わかりやすさに配慮して話そう。また面接の時期によっては、まだテーマが決まっていないこともある。その場合も、こういうものを書くつもりだと言えるようにしておくこと。

回答例

◆現代人の生活や文化について考察する「人間文化論」のゼミに所属しています。ふだん何気なく過ごしている生活のなかに、文化的な意義を見出す視点がとても興味深いです。このゼミに入ってから、日常をいろんな角度からみられるようになった気がします。

アドバイス

興味をもってゼミに取り組み、真面目な学生生活を送っていることがうかがえる。具体例を入れると、もっと伝わりやすい回答になる。

◆「社会福祉学」のゼミで、ユニバーサルデザインの街づくりをテーマに学んでいます。大学１年のころから興味のあったテーマで、地方公務員をめざしたのも、地域の福祉に貢献したいとの思いがあったからです。

アドバイス

学生生活が志望動機と関連しているのは、大きなアピールになる。一貫した姿勢のある人物は高い評価を得られる。

◆既存のゼミに興味をもてるものがありませんでしたので、所属しませんでした。個人的に、この地域の風土史を研究しています。

アドバイス

たとえば映画鑑賞、読書、料理、スポーツ、釣りなどの趣味でも、深く追究すれば「研究」として、それらしく表現することも可能だ。

ANSWER書き込みスペース

Q 現在の学部・学科を選んだ理由は何ですか？

答えるときのキーポイント

はっきりした理由や目的のある人は、素直にそれを話す。その学部・学科のどこに魅力を感じたか、どうしてそう考えるようになったかなどを具体的に話すとよい。現実には、「消去法で選んだ」「偏差値レベルが合っていた」「いろいろ受けてみて、たまたま合格したのがこの学部だった」としても、それを正直に述べてはダメ。自分の良さをアピールするつもりで、意欲的な理由を語ろう。

★面接官はここをみる

- 勉学に対する真面目な姿勢があるか。
- 積極性や意欲のある人物か。
- 具体的に述べているか。
- 大学生活を有意義に過ごしているか。

★ここはかならずチェック

- その理由を、公務員の志望動機や、採用後の職務に関連させることができるとなおよい。
- 型にはまりすぎた答えは信じてもらえない。自分の言葉、自分の考えを答えに反映させること。

覚えておこう プラス α

「現在の大学を選んだのはなぜですか？」

この質問に対しても、学部・学科と同じように意欲的な姿勢をみせることが大切。たとえ有名大学であっても、ブランド性や偏差値は理由として好ましくない。大学の校風や伝統、規模、施設環境など、自分はどこに魅力を感じたのか、改めて確認しておこう。「何となく」では、やる気や希望は伝わらない。それらが明確に伝わる、また誠意を感じてもらえる答え方を心がけること。大学の志望理由は、公務員の志望理由にも多かれ少なかれ関わってくるものなので、しっかり答えられるようにしておこう。

回答例

◆社会生活の基本について学びたいと考え、経済学部を選びました。広く世の中のしくみについて知りたい気持ちがありましたので。それから、現在の大学にはIT関連の施設が充実していましたから、より実務的なことを勉強できるのではと思いました。

アドバイス

将来を見据えた前向きな答え方は好感がもてる。

◆小学校のころから理科系の科目が大好きで、高校でも物理や数学が得意でした。大学も、迷うことなく自然に物理工学科に進みました。

アドバイス

純粋に学問に取り組む姿勢が感じられるのはよいが、理科系にもさまざまな学科があるのだから、そのなかで物理工学を選んだ理由を述べよう。

◆私は○○大学を希望していまして、文学部、法学部、商学部、国際情報学部の四つを受験したのですが、合格したのは文学部歴史学科だけでしたので、そこに進んだわけです。

アドバイス

実際そうだったとしても、この答えではいけない。歴史学科に興味をもった理由が、わずかにしても何かあるはず。それをクローズアップすること。また、そこまで一大学にこだわったのなら、その志望理由を明確に。

ANSWER書き込みスペース

Q ［学校での成績について話してください。］

答えるときのキーポイント

素直に事実に基づいて答えるのが基本。そのためには自分の成績をきちんと把握し、自覚しておく必要がある。学校の成績は公務員試験の合否に関係ないとはいえ、あまり悪いことばかり話すのはよくない。得意科目や好きな分野を中心に回答を構成し、そのうえで、もし自慢気味に聞こえそうなら適宜、不得意科目や弱い分野についても加える答え方が無難だ。

★面接官はここをみる

- 成績を的確に把握しているか。
- 学業に対する意欲、姿勢はどうか。
- どんな分野で達成経験をもっているか。
- 正しく自己分析のできる人物か。
- 上手に自己アピールできているか。

★ここはかならずチェック

- 学校の成績を探ろうとしているのではなく、あくまでも人物をみるための質問。面接官のねらいがどこにあるのか、つねに頭の片隅に置いておこう。

覚えておこう プラス 

「留年した理由は何ですか？」

「留年」のほか、「浪人」についても質問されることがある。どちらも正直に答えるべきだが、「遊んでばかりで、勉強しなかったからです」と正直すぎる答え方はしないこと。「努力はしたが、やむをえなかった」とのニュアンスを面接官に伝えるようにしたい。その１年にアルバイトやサークル活動などを通して、何かしら得たものもあるはず。留年や浪人経験が決して無駄ではなかったことをアピールしよう。また、病気やケガが理由の場合は、完治していることをはっきり伝えること。

回答例

◆特別に良いほうとは思いませんが、身近に感じられる民法や商法は興味深く取り組むことができ、満足のいく成績を収められています。興味のある科目は試験前だけでなく、ふだんの講義から熱心になれますね。

アドバイス

興味のある科目を前面に出し、かつ謙虚に語っているのがよい。

◆受験勉強の反動で、大学１年のときは遊びまくり、ひどい成績でした。それで、これではいけないと、２年から奮起したんです。その努力のかいあって、２年、３年と、毎年少しずつ上がってきています。

アドバイス

真面目に学業に取り組んでいる様子が伝わってくる。「遊びまくり」では印象が悪いので、「勉強をしなかったので」程度の言い方にする。

◆私は大学入学当初から、将来は公務員になりたいと考えていました。それで、大学の成績はあまり関係ないとわかっていたので、正直に言いますと、成績は悪いです。

アドバイス

成績が悪いのを、公務員志望のせいにしている点はマイナス。悪いなら悪いで仕方ないが、それを自分のなかでどう受け止めているかで、評価を高めたいところだ。

ANSWER書き込みスペース

Q 好きな科目、嫌いな科目は何ですか？

答えるときのキーポイント

科目をいくつも並べるより、できるだけ数をしぼって、「好き」「嫌い」それぞれの理由に重点を置いた回答をする。また、好きな科目については、どれくらい好きなのかがわかるエピソードや、ふだんこんなふうに取り組んでいる、などの具体的な話をつけ加えるとよい。嫌いな科目については、克服するためにしている工夫、ちょっと笑える失敗談などを添えると、ポイントの高い回答になる。

★面接官はここをみる

- どんな分野に興味、適性があるか。
- 正しく自己分析のできる人物か。
- 好きな科目について、どの程度の興味をもっているか。
- 嫌いな科目について、どう対処しているか。

★ここはかならずチェック

- 「ありません」という回答は避けること。とくに好きな科目は自己アピールにつながるので、かならずしっかり答える。
- 好きな科目については、面接官からさらに深い質問をされる可能性が高い。十分な知識のない科目は、挙げないほうが無難。

回答例

◆好きな科目は英語です。高校時代、夏休みにオーストラリアでホームステイをしたことがきっかけで、英語や国際交流に興味をもちました。それで今の国際文化学科に進んだわけです。大学でも、学内の勉強のほかに英会話教室に通って、生きた英語に触れるようにしています。

アドバイス

好きになった理由が明確でわかりやすい。また単に好きなだけでなく、具体的な行動として英会話教室に通っている点も評価が高い。

◆統計学が苦手です。もともと理系科目が苦手で、現在の学科に進んだのですが、経済学にも統計的なものの考え方は必要だと、最近は痛感しています。苦手意識が定着しないよう、がんばっているところです。

アドバイス

不得意科目でも投げ出さず、努力しているのは評価できる。どんな努力をしているか、具体的に話せるようにしておこう。

◆「源氏物語概説」という講義を履修していますが、私としては、これが一番好きかな、と思います。あまり公務員の仕事には関係ないですが……。

アドバイス

公務員の仕事に関連していようといまいと、自信をもって答えればよい。好きな科目については堂々と、元気よく話すことが大切。

ANSWER書き込みスペース

Q［サークルやクラブ活動について話してください。］

答えるときのキーポイント

サークルやクラブ活動のおもな内容は、履歴書や面接カードで提出してある場合が多い。面接ではそれをいかに魅力的に語るかがポイントになるので、できるだけ具体性のある話を心がける。活動内容や特色を簡潔に述べ、その集団のなかでどんな役割を果たしたか、活動を通して何を得られたかなどを、整理しておこう。自分が生き生きとしている様子が伝えられる回答になればベストだ。

★面接官はここをみる

- サークル活動を熱心にしていたか。
- 集団のなかでどんな位置、役割にあるか。
- 協調性、積極性、実行力はあるか。
- 若者らしさは感じられるか。
- サークル活動で何を得られたか。
- 有意義な学生生活を過ごしているか。

★ここはかならずチェック

- ほかの質問に比べ、受験者としては答えやすいだけに、調子に乗りすぎて余計なことまでしゃべらないよう注意する。

覚えておこう プラス α

「なぜサークルに入らなかったのですか？」

サークルに入っていなくても、評価が下がるとはかぎらない。つい引け目に感じてしまう人も多いが、入らなかった理由をきちんと述べ、ほかに力を入れていることを話せば、高い評価につなげることも可能だ。サークル以上に有意義なものを得た経験があれば、補足的に回答のなかに取り入れてみよう。またサークルに関する質問では、集団生活での適応性をみることが大きなねらいとなっている。入っていない人は、協調性のあることを、それとなく示すことも必要になる。

回答例

◆「わいわいスポーツクラブ」というサークルに入っています。春はテニス、夏はジェットスキーやウインドサーフィン、冬はスキーやスノーボードと、年間を通していろんなスポーツを仲間で楽しんでいます。

アドバイス

若者らしい、楽しい学生生活を過ごしている様子が伝わるが、活動内容だけでは味気ない。エピソードを加えて、話にふくらみをもたせよう。

◆囲碁部は地味だと思われていますので、昨年の学園祭では、私が「パフォーマンス囲碁をやろう」と提案して、派手な衣装とセットで碁を打つ試みをしました。手の動きも、こう、振り付けをしたりして。

アドバイス

ユニークで印象に残る回答。積極性や実行力、集団のなかで生き生きとしている様子が伝わる。ただし、あまり調子に乗りすぎないように。

◆学生時代に世界中を旅してみたいと思い、サークルには入りませんでした。ふだんは資金を稼ぐためにアルバイトをし、長期休みに旅に出ます。旅先でももちろんですが、アルバイトで得られたものも大きいです。

アドバイス

旅のこと、アルバイトのこと、それぞれもっと具体的に話せるようにしておく。さらに、それを仕事でどう生かせるかまで答えられるとよい。

ANSWER書き込みスペース

Q［学生時代でもっとも思い出深いことは？］

答えるときのキーポイント

経験してきた出来事の意義を伝えられるような回答がベスト。聞いている面接官がイメージできるくらい、できるかぎり具体的な内容にする。単なる思い出話にするのでなく、その出来事から何を得たか、どんなことを学んだか、それについてどう考えているか、自分はどう変わったかなど、さまざまな面から分析し、回答を整理しておくとよい。これまでの学生生活を、素直な気持ちで振り返ってみよう。

★面接官はここをみる

- その出来事から何を得たか。
- 具体的に述べているか。
- 有意義な学生生活を過ごしているか。
- 経験から学んだものを現在に生かす姿勢があるか。

★ここはかならずチェック

- サークル、ゼミ、アルバイトなどの回答と重なる場合を考えて、いくつかのエピソードを整理しておく。
- 場が明るく、さわやかになるような話題が望ましい。いくつかピックアップして、もっとも面接にふさわしいと思うものを選ぼう。

覚えておこう プラスα

「学生時代で一番つらかったことは何ですか？」

この質問は、答え方によっては自己アピールにすることができるが、反対に大きな失敗にもなりかねないので注意が必要だ。まともに考えて、場を暗く重くしてしまったり、「こんなにつらかったんだ」と“不幸自慢”になるのは避けること。出来事の概要はさらりと述べ、それをどう乗り越えたかや、現在の自分にどうプラスになっているかなどを重点的に語ると、前向きな姿勢を伝えることができる。

回答例

◆カナダに1年間、留学したことです。英語が身についたことのほかに、現地の人と深い交流がもてたことが思い出深いです。言葉が通じないぶん、人と触れ合うことの大切さを学べましたし、積極的になれました。

アドバイス

模範的な回答だけにインパクトは弱いが、留学を通して得たものを述べている点は評価できる。現地の人とのエピソードを交えると人間味が出る。

◆地域ボランティア活動に参加して、老人ホームなどの施設を回ったことです。人生勉強になりました。

アドバイス

社会福祉に関心のある人物とはわかるが、これだけでは有意義な活動だったとは伝わらない。話に具体性をもたせよう。

◆大学2年の冬に、スノーボードで両腕を骨折してしまいました。ちょうど試験が迫っていたのであせりました。いつもより勉強して、神社にお願いに行ったり。試験直前に何とかギプスが取れて、進級できました。

アドバイス

面接官によってはユニークと感じてくれるかもしれないが、遊びでケガをしたことが、もっとも思い出深いことだとすると、学生生活はずいぶん味気ない。ほかのエピソードにしたほうが無難だ。

ANSWER書き込みスペース

Q 学生時代にとくに打ち込んだことを話してください。

答えるときのキーポイント

サークルやクラブ活動、ゼミなどの勉強、アルバイト、趣味、そのほか何でもよいので、自分が自信をもって答えられるものを選び、あらかじめまとめておこう。どういうものなのか概要を述べたあと、それに打ち込んだ理由や、結果として得たもの、そのときの達成感などを加えると深みのある回答になる。重ねて質問をされても堂々と答えられるように、立体的に回答を練り上げておくこと。

★面接官はここをみる

- なぜそれに打ち込んだのか。
- どの程度、熱心に取り組んだか。
- 具体的に述べているか。
- 最後まで取り組んで結果を出しているか。
- 有意義な学生生活を過ごしているか。

★ここはかならずチェック

- 面接官は、学生時代にどんな取り組みをし、それにより達成経験をしているかを探ろうとしている。エピソードを交えて話に具体性をもたせると、実感が伝わる。

覚えておこう プラス α

「自分を高めるために何かしていますか？」

どんなに才能や資質に恵まれていても、努力のできない人物は結果を残すことができない。職場においては、自己を把握し、つねに良い仕事ができるよう努力を重ねる人物こそ求められるのだ。こうした質問に、口ごもって答えられないようだと評価は低い。特別なものでなくても、「スポーツクラブに通って体力づくりに努めている」「ニュースはかならず毎日、見るようにしている」「友人と意見を交換する機会を意識的につくっている」など、どんなことでもよいので、自信をもって答えるとよい。

回答例

◆大学の江戸文学の講義で鶴屋南北に興味をもち、インターネット上に南北のサイトを立ち上げました。公務員試験の勉強の間も、ほかの趣味はひかえていましたが、このサイトの更新だけは夢中でやっていました。

アドバイス

オリジナリティがあり、実行力や探究心が感じられ、印象に残る内容になっている。マニアックにならないよう気をつければ高評価間違いなし。

◆ギターの弾き語りです。友人と２人で歌をつくり、路上で歌っていました。純粋に音楽を楽しみたくてはじめたのですが、たくさんの人が話しかけてきて、ふつうなら知り合いになれないような年代の人たちと交流をもてたことが、よい人生経験になったと思います。

アドバイス

路上ミュージシャンなど、公務員のイメージと異なるものの場合、語り口に注意が必要。さわやかで真面目な印象を心がければ可。

◆勉強、サークル、アルバイト、どれも不完全にならないよう、すべてにベストをつくし、バランスよい学生生活を心がけました。

アドバイス

バランス感覚は公務員に求められる資質に違いないが、質問の主旨に沿っていない。ここでは具体的に打ち込んだものを答えるべき。

ANSWER書き込みスペース

Q［どんなアルバイトの経験がありますか？］

答えるときのキーポイント

アルバイト経験に関連させて、受験者の職業観や社会性などをみようとする質問。したがって大切なのはアルバイトの職種ではなく、アルバイトとどう関わりをもったか。貴重な社会経験として、人間的に成長を遂げたことをアピールできる内容が望ましい。オリジナリティを出すために個性的な職種を挙げるのも一つの手だが、公務員面接の場にふさわしくないものは避けたほうがよい。

★面接官はここをみる

- アルバイト体験を通して、どう成長したか。
- どの程度、アルバイトをしているか。
- 働くことについて、どんな意識をもっているか。
- 学業と両立できているか。
- アルバイトの経験により社会性が身についているか。

★ここはかならずチェック

- アルバイト経験は重要な自己アピールの要素。とはいえ学生の本分は、あくまでも学業であることを忘れてはならない。アルバイトに明け暮れている印象を与えると、反対に評価を下げることもある。

アルバイトは貴重な人生経験

回答例

◆いくつかありますが、印象深いのは司法書士事務所でのアルバイトです。毎年３月が繁忙期で、知人に紹介され、登記手続きの補助業務をしました。知らない世界ですから、とまどうことも多くありましたが、学生気分のアルバイトと違い、社会の一員になれたような気がしました。

アドバイス

ひと味違ったアルバイトで、かつ公務員の仕事に通じるものもあり、職種の選択はベスト。別のアルバイトについて聞かれる場合も考えておこう。

◆住んでいるアパートの隣の花屋で、大学１年からずっとアルバイトをしています。冬の寒いなか、水を替える作業はつらいのですが、お客さんと接するのが楽しくて、ずっと続けています。もちろん花も大好きです。

アドバイス

たくさんのアルバイトを経験するのもよいが、継続していることも一つのアピールになる。接客が好きというのも、社交性が感じられてよい。

◆コンビニエンスストアの店員をしています。店長が脱サラをしたユニークな人で、仕事には厳しいのですが、ときどきご飯をごちそうしてくれたり、相談に乗ってくれたりします。

アドバイス

ありふれたアルバイトも、エピソードでふくらみをもたせられる。

ANSWER書き込みスペース

Q ［勉学で身につけたものを仕事でどう生かしますか？］

答えるときのキーポイント

学校の勉強を直接、仕事に役立てるのは難しく、柔軟な考えに基づいた前向きな回答が求められる。専攻学科や得意な科目、好きな分野などを述べ、公務員の仕事に結びつけて答えるのが基本。資格や特技、自分の長所などをからめるのもよい。さらに、やってみたい仕事や希望する職種を語ると積極性や意欲をアピールできる。難しい質問だが、社会に出る抱負を語るつもりで答えればよい。

★面接官はここをみる

- 身につけたものを生かす姿勢はあるか。
- 目的意識をしっかりもっているか。
- 柔軟性のある人物か。
- 物事を前向きに考えているか。

★ここはかならずチェック

- 大学の専門分野が公務員の仕事に結びつくものであれば、積極的にアピールするチャンスだ。
- かならずしも学問だけにこだわる必要はない。行事やサークル活動なども含めて、柔軟に考えよう。

回答例

◆私は将来、福祉に関連した仕事に携わりたいと思い、社会福祉学を専攻しました。今は学問からのアプローチですが、社会人になりましたら、実際の世の中に役立つ関わり方ができたらと思っています。

アドバイス

専攻学科が仕事のベースになりえる場合はアピールしやすい。具体的にどう生かすかを、もう少し掘り下げて回答できるとよい。

◆英米文学を専攻していますが、とくに会話に力を入れ、英会話サークルでは外国人と話す機会をもつようにしています。ますます英語が必要な時代ですから、公務員の仕事でも何らかの形で生かせるものと思います。

アドバイス

英語やパソコン、情報処理などの実利的なものや、仕事に直接関わってくる理科・技術系などもアピールしやすい。

◆学問を通して物事を論理的、体系的に考える力がついたと思います。仕事のうえでは、人との協力関係や体力なども必要ですが、学ぶことで身についた思考能力は、かならず仕事に生きてくると思います。

アドバイス

言っていることは正しいが具体性に欠ける。自分の専攻学科をまず挙げたうえで、こうした説明をすれば説得力が出る。

ANSWER書き込みスペース

学生生活で何を得ましたか？

答えるときのキーポイント

学生生活を振り返り、自分にプラスになったものを抽象的な言葉でなく、具体的な体験として答える。人間的な成長を感じさせる内容がベスト。サークル・クラブ活動、先生や友人など影響を受けた人物、ゼミ、アルバイト、趣味、旅行などの体験を、自分のなかでじっくり整理し直してみるとよい。回答はいくつか挙げてもよいが、項目の羅列にならないよう気をつけ、かならず一つについては深く言及する。

★面接官はここをみる

- 具体的に述べているか。
- 有意義な学生生活を過ごしているか。
- 前向きな姿勢、意欲が感じられるか。

★ここはかならずチェック

- 何を選ぶかも大事だが、どう表現するかによってかなり印象が変わるので、あらかじめきちんとまとめておくことが重要だ。
- 「積極性」「協調性」「責任感」などの単語を並べるだけでは説得力はまったくない。どれだけ具体的に語れるかがポイントになる。

覚えておこう プラスα

「学生生活に悔いはありませんか？」

学生生活がどれくらい充実しているかを、マイナス面から問う質問。素直に考えて「悔いがない」人は、自信をもって答えればよいが、その場合、そう言い切れる理由も答えられるようにしておく。「悔いがある」人は、あからさまに後悔している様子を告白するのは絶対に避けること。「悔いがある」ことを、どうプラスに転じさせているか、その前向きな姿勢を伝えるのが大事。マイナス面を問う質問は、表現しだいで高い評価を得ることが可能なのだ。

回答例

◆ラグビー部の活動を通して、友人との深い交流をもてたことです。厳しい合宿に耐えたことや、試合で勝ったときの喜び、負けた悔しさなど、いろんな体験を共にすることで、一生の友達ができたと思います。

アドバイス

無難な回答だが、型どおりすぎて人間味が薄い。親友を得たことで自分が人間的にどう成長したかを語るなど、工夫が必要。

◆ゼミの教授や仲間と、よく討論することがあります。そんなとき話題が発展して、最終的には、人間とは何かという究極のテーマへと移っていきます。徹底的にお互いの考えを交換しあうことを体験し、それまで、表面的な人づきあいばかりしていたことに気づかされました。

アドバイス

自分の考えを相手に伝える大切さを、実体験を通して学んだことがわかる。どんな議論をしたか、エピソードを用意しておくとよい。

◆高校時代は受験勉強に追われるばかりで、勉強が嫌いでしたが、大学では自分で学びたいものを選ぶことができ、学ぶことの楽しさを知りました。

アドバイス

素材の選び方は悪くないので、実際に学んだこと、どう楽しかったかを述べると、説得力が増す。

ANSWER書き込みスペース

Q ［ふだん友人とはどんな話をしますか？］

答えるときのキーポイント

友人との話題から、受験者の関心事項を探ろうとする質問。あまりに日常的すぎる話題からは、受験者の人物像はみえてこない。印象に残り、かつ自分の長所をそれとなく伝えられる話題を選ぶ。それについて深く掘り下げたエピソードを添えると上手な自己アピールとなる。また、面接官は他者との関係構築力や協調性についてもみようとしているので、良好な関係がわかる内容にするのもポイント。

★面接官はここをみる

- どんなことに興味、関心があるか。
- 若者らしさ、学生らしさが感じられるか。
- 交友関係に問題はないか。
- 公務員としての適性はあるか。

★ここはかならずチェック

- 公務員の面接であることをわきまえ、取り上げる話題は、やや硬めの、学生らしいものが望ましい。
- 言葉遣いに気をつけよう。つい、ふだんの友人との話しぶりが出てしまうことがある。

覚えておこう プラス α

「先輩、後輩とはどんなつきあいをしていますか？」

学生時代は同級生とのつきあいが多いが、職場では同期の人間より、上司や部下とのつきあいが多くなる。先輩や後輩とどう関わっていたかを知ることで、人間関係を築く能力、適性を探ろうとする質問。スポーツをやっている人は上下関係を意識し、文化系クラブに所属している人は上下の隔てなくつきあう傾向がある。とはいえ、どちらであっても、この質問に対しては、親しい関係にあることが伝わるような、楽しかったエピソードを話すのがよい。

回答例

◆私はテニスサークルに入っていますので、やはり友人とはテニスの話題が多いです。自分たちのプレーについてだったり、ラケットやウェアのことだったり、それから国際的な大会や有名選手のこともよく話します。

アドバイス

テニスに熱心なことがよく表れている。スポーツに関する話題は、若々しい印象を与えて好感をもたれる。

◆映画についてよく話します。月に1回ほど友人と映画館に行くのですが、観終わったあとは喫茶店でその作品について感想を話しあうことが楽しいです。長いときは4時間くらい、しゃべっていることもありました。

アドバイス

映画や読書、音楽などの場合は、具体的に作品名を出して話すと、より興味深い回答にすることができる。

◆大学のレポートやサークルの予定、アルバイトのこと、テレビドラマなどについてよく話します。それからスマートフォンアプリや、欲しい洋服や靴について、あと最近は就職についての話題も多いですね。

アドバイス

いくつも取り上げると本人の人物像がつかみづらい。友人との関係もみえてこない。一つか二つにしぼって話すこと。

ANSWER書き込みスペース

Q ［友人とのつきあい方で気をつけていることは？］

答えるときのキーポイント

人との交流は、仕事のうえでもっとも大切な要素の一つ。この答えには受験者のモラルや社会性が表れるので、慎重に言葉を選ぶこと。ふだんはとくに意識していない人でも、「待ち合わせには遅れないようにしている」「借りたものは、なるべく早く返す」など、いくつか思い浮かぶはず。奇をてらうことなく、ごく当たり前のことでよいので、誠実さを伝えるようにする。

★面接官はここをみる

- 公務員にふさわしいモラルのある人物か。
- 誠実さは感じられるか。
- 円滑な人づきあいのできる人物か。
- なぜそうするかの理由も含め、思慮深い人物か。
- 具体的に述べているか。

★ここはかならずチェック

- 友人とのつきあいがうまく行える人は、職場でもしっかり仕事ができる人との印象を与えられる。
- 取ってつけたような回答をつくりあげても説得力は生まれない。実際の自分をよく振り返って、嘘のないように。

覚えておこう プラスα

「友人と意見が分かれたときはどうしますか？」

友人とのつきあい方から、公務員に求められる協調性や柔軟性などをみるのがねらい。回答には大きく分けて「相手の意見を尊重する」「自分の意見を通す」「よく話しあう」と三つの立場が考えられるが、同じ「相手を尊重する」答えでも、表現しだいで印象が変わる。「思いやりのある人物」と思われることもあれば、「主体性のない人物」と映ることもある。回答にはおのずから人柄や人間性が出ることを念頭に置いておこう。

回答例

◆**相手の立場に立って考えるようにしています。意見が合わない場合でも、相手の話にはきちんと耳を傾け、そのうえで自分の考えを伝えます。以前はそういうことを意識していなかったのですが、人の気持ちをすごく大切にするサークルの先輩がいて、その影響で気を配れるようになりました。**

アドバイス

話に具体性があるので、ふだんから本当にそうしている様子が感じられる。気をつけるようになった理由を述べている点もよい。

◆**調子のいいことばかり言わず、本音で話すことです。とくに親しい友人には、思ったこと、感じたことを、すべて包み隠さずに話すようにしています。そうすると相手も、心を開いてくれます。**

アドバイス

真っ直ぐで正直な人柄が伝わってくる。ただ、頑固で柔軟性のない人物との印象を与える可能性もあるので、口調はやわらかく。

◆**年賀状はもちろん、メールでもLINEでも新年のあいさつをしないことです。形式的なつきあいでなく、実質的なつきあいをしたいからです。**

アドバイス

インパクトの強いおもしろい回答だが、社会常識を守らない人は敬遠される。オーソドックスに答えたほうがよい。

ANSWER書き込みスペース

Q ［あなたの友人にはどんなタイプの人が多いですか？］

答えるときのキーポイント

受験者の性格や人柄は友人の傾向にも反映される。親しい人物には共通する趣味のもち主や、性格的に波長の合う人が多いはず。その人たちの長所や自分と通じる部分をクローズアップし、それが的確に伝わるエピソードをまとめておくとよい。単に「おもしろい人間が多い」「個性的な人が多い」だけでは、おもしろさも豊かな個性も伝わらないので、より具体的に表現することがポイントになる。

★面接官はここをみる

- 友人を十分に理解しているか。
- 他者との関係構築力はあるか。
- わかりやすく具体的に述べているか。

★ここはかならずチェック

- 友人についての質問だが、あくまでも受験者本人が問われている。自分の人間性もそれとなく伝わる回答が望ましい。
- 友人のタイプをひとくくりにするのが難しいなら、もっとも親しい友人を基準に考えてみよう。

回答例

◆明るく社交的な友人が多いです。誰かの誕生日や何かの記念日があると、よく集まってパーティを開きます。それぞれが友人を連れてきたりするので、そこでまた友人の輪が広がることも多いですね。

アドバイス

人とのコミュニケーションを積極的にとれる人物は評価が高い。「社交的」な性格を、適切なエピソードで表現できている。軽々しい、派手好きな人物と思われないように注意。

◆真面目で努力家タイプが多いと思います。お互いが良いライバル関係にありますので、切磋琢磨しあい、自然に努力ができるのだと思います。

アドバイス

お互い切磋琢磨することで「努力家タイプ」との視点はおもしろい。ただ、どういうライバル関係かが具体的に説明されていないので、説得力に欠ける。

◆サッカー部の友人が多いので、さっぱりした気持ちいい人間が多いです。

アドバイス

スポーツマンに、さわやかなイメージは確かにあるが、サッカーをしているからといって、かならずしもそういう人間とはかぎらない。「さっぱりした気持ちの良さ」を表すエピソードを入れる必要がある。

ANSWER書き込みスペース

親友と呼べる人はいますか？

答えるときのキーポイント

「います」と答えるのが大前提。そのうえで、どういうつきあいをしているかを具体的に話す。いつからの友人なのか、どう出会ったのか、現在はどれくらいの頻度で会っているか、どんな話題が多いか、その親友は自分にとってどういう存在かなどを話す。また、楽しかったエピソードや、親友から何を学んだかを加えると、より親しいつきあいであることが伝わる。

★面接官はここをみる

- 親しい人間関係をつくれる人物か。
- 親友とどういうつきあい方をしているか。
- 友人とどんな点で通じあっているのか。
- その親友とはどの程度の深いつきあいか。
- 交友関係から何か学びとったものはあるか。

★ここはかならずチェック

- 人数を聞かれることもあるが、数の多さは重要ではない。親友を大切にしていることが伝わるような回答を心がけよう。
- 自分の性格と相手の性格から、どういう点で結びついているかを述べるのも一つの方法。

覚えておこう プラスα

「友人とのつきあいで思い出に残っていることは？」

具体的な思い出話を聞くことで、交友関係の深さや人間的な資質を探ろうとする質問。明朗ですがすがしいエピソードが好ましいが、ケンカや気まずくなったときなどの話をするのも、意外に効果的なアピールになる。その場合は、重苦しい話にならないよう注意し、どう仲直りしたかを述べるのがポイント。一度仲たがいを経て得られた友情は、単に楽しいだけの交友関係より、ずっと深いものを感じさせる。

回答例

◆はい、小学校からの友人がいます。中学まで同じで、高校からは別々になりましたが、ときどき電話で話したり、現在も月に１回は会っています。何でも相談できて、一生つきあっていける親友だと思っています。

アドバイス

幼少からの長いつきあいは自信をもって答えられる。「どんな相談を受けたことがありますか」などの追加質問に対応できるように。

◆最近、アルバイト先で知りあった友人がいて、よくいっしょに食事をしたり、買い物やカラオケに行ったりして、親しくつきあっています。

アドバイス

つきあいの長さが重要ではないが、「最近知りあった」というのは、やや説得力に欠ける。また、「食事」や「買い物」では表面的すぎるので、「おいしい店を探す食べ歩き」といった印象に残る表現を工夫したい。

◆大学の入学式で知りあった親しい友人がいます。彼はふだんはのんびり屋なのですが、試験前の集中力がすごいんです。そのおかげといいますか、彼に触発されまして、私も試験の成績がよくなってきたんです。

アドバイス

試験のエピソードが効果的で、親しい間柄が伝わってくる。お互いに励ましあって努力していることが、ユーモラスに語られている。

ANSWER書き込みスペース

....

....

....

....

....

....

Q あなたにとって親友とはどんな存在ですか？

答えるときのキーポイント

ペーパーテストではないので、単に「かけがえのないもの」「心を許しあえる存在」といった定型的な回答では、薄っぺらな印象を招く。難しく考えず、親友のことを頭に思い浮かべ、素直に思うことを語ればよい。あくまでも受験者の人間性をみるための質問なので、友人に恵まれ、交友関係を大切にしていることが伝わるような回答にする。そこから学びとったことにまで触れるとなおよい。

★面接官はここをみる

- 親友を大切にする姿勢が感じられるか。
- 豊かな心をもつ人物であるか。
- 身近な体験に関連づけて語っているか。
- 親しい人間関係をつくれる人物か。

★ここはかならずチェック

- 実際の体験を交えると、人間的な幅もみせられる。友人を「親友」であると感じたのはどんな瞬間だったか、考えてみよう。
- 親しい友人を思い浮かべ、自分との関わりや、お互いどんな影響を与えているかなど、ノートに書き出してみるとヒントが得られる。

回答例

◆就職について悩んでいるとき、真剣に話を聞いてくれた友人がいました。ふだんは親しくしていても、困っているときにとことん協力してくれる友人は、そうはいません。どんな場合も力になれるのが親友だと思います。

アドバイス

実感が込められ、良い親友がいることは伝わってくる。受け身の印象があるので、自分から親友への働きかけについても触れるとよい。

◆お互い本音で話せるのが親友だと思います。大学の学部が同じで、よくいっしょに行動する友人がいるのですが、彼女はいわゆる遊び友達というんでしょうか、本音ではつきあえていません。別の友人で、たまにしか会わないのに、何でも意見を言えて、信頼できる親友がいます。

アドバイス

「親友」と「遊び友達」を対比させた回答。わかりやすい説明になっているが、図式的になりすぎて人間味がやや薄い。

◆本気でケンカできる存在です。親友とはしょっちゅう衝突してますが、次に会ったときにはそんなことは忘れて、また仲良くできるんです。

アドバイス

さっぱりとした性格や、厚い友情で結ばれた親友のいることがわかる。ただ、表現が唐突で、インパクトをねらった印象は評価の分かれるところ。

ANSWER書き込みスペース

Q［友人関係で、何か困った経験はありますか？］

答えるときのキーポイント

誰にでも友人関係の悩みや困ったこと、トラブルの経験などは少なからずあるはず。自分のこれまでを振り返り、好ましいと思える題材を探してみよう。何となく惰性で解決してしまったことや、現在も継続している問題は避けたほうがよい。面接官は人間関係のトラブルにどう対応し、乗り越えるかを知ろうとしている。受験者が、自ら努力して問題解決にあたった出来事がよい。

★面接官はここをみる

- 困った経験をいかに克服したか。
- 結果として何を得たか。
- 友人を大切にする姿勢が感じられるか。
- 人間関係を円滑に保てる人物か。

★ここはかならずチェック

- 「トラブルや困った経験はありません」の答えでは、深みのない人間と思われる。何かしら答えるべき。
- 自分のマイナス面をさらすようで、話しにくいかもしれないが、もじもじしないで、堂々と話そう。

覚えておこう プラスα

「友人に悩みを打ち明けられたら、どう接しますか？」

公務員にかぎらず、困っている人の力になるのは社会人として、人間として求められること。この質問の答えには直接、人間性が表れるので、慎重に対処しよう。実際に悩みを打ち明けられた経験のある人は、それを基準に考える。そのときあまり友人の力になれなかったとしても、その経験をふまえ「だからこそ、こうしたい」と回答しよう。また、反対に自分が相談をもちかけ、友人に勇気づけられた経験があるなら、そのときに感じた気持ちをふまえて「自分もそうしたい」と回答することもできる。

回答例

◆友人に借りたDVDに傷をつけてしまったことがあります。弁償して謝ったのですが、実は限定盤だったようで……。友人は口もきいてくれない雰囲気でしたので、私は在庫がある店舗をネットや電話で問い合わせて、何とか1枚を見つけることができました。

アドバイス

友人関係のトラブルというより“失敗談”の印象も受けるが、何とか失敗を取り返し、関係修復をはかろうとする姿勢に人柄がにじみ出ている。

◆アパートに友人が転がり込んできて困ったことがあります。友人もいろいろ悩んでいたので、追い出すこともできず、結局3カ月くらいいました。今もその友人とは仲良しで「あのときは世話になった」と言われます。

アドバイス

人の良さは感じられるが、困ったままじっと耐えていただけの印象が強い。「悩みの聞き役を買って出た」など、本人の意思をみせたい。

◆親友とケンカをして、1年くらい絶縁状態だったことがあります。お互い意地を張っていました。今はすっかり仲直りしています。

アドバイス

ケンカの理由も仲直りしたきっかけも語られていないので、受験者の人物像がみえてこない。

ANSWER書き込みスペース

Q［恋愛についてどう考えますか？］

答えるときのキーポイント

かならずしも個人の恋愛観を詳しく披露する必要はないが、健全な印象になるよう心がけたい。とくに近年は、恋愛は男女間のものとはかぎらないという認識が主流になりつつある。実際、同性カップルに婚姻関係と同等の権利を認める自治体も出てきた。一方で、自身の性自認や性的指向に悩む人、マイノリティに対する周囲の無理解に苦しむ人もいる。多様性に配慮した、ニュートラルな回答を準備しておく。

★面接官はここをみる

- 偏りのない健全な考え方をしているか。
- 答えに誠実さが感じられるか。
- 答えにくい質問にうまく対処しているか。

★ここはかならずチェック

- 否定的な立場に立つと、「頭がカタイ」「キマジメ」の印象を与えることがあるので注意が必要。
- 面接官は、答えにくい質問だとわかって聞いている。自己アピールするより、突っ込まれるポイントを与えない回答を心がける。

見た目だけで関係を決めつけない

回答例

◆お互いが楽しく過ごせて、しかも高めあっていける関係であれば、理想的だと思います。交際にあたっては、やはり相手に対する尊敬の気持ちをもつことが大切です。恋愛にかぎらず、私は人とつきあううえで、つねにそのことを心がけています。

アドバイス

健全で、かつ前向きな人間性がうかがえる。

◆同性に告白されて困った経験があります。それまでまったく、そういう世界を知らなかったので、「冗談やめて！」とはねつけてしまいました。ずいぶんと傷つけてしまったと反省しましたが、どうもやはり私には受け入れられそうにありません。

アドバイス

正直な発言だが、こうした行き違いが生死を左右することもある。他者の性的指向を否定せず認める、という基本線をふまえることが大切だ。

◆素晴らしいことだと思います。人間も動物ですから、性的にひかれあい、結ばれるのは自然なことだと思います。

アドバイス

やや飛躍しすぎ。冗談のような回答例だが、あらかじめ考えをまとめておかないと、こうした唐突なことを言ってしまう可能性は十分ある。

ANSWER書き込みスペース

Q［最近、興味をもったニュースは何ですか？］

答えるときのキーポイント

社会情勢に関心をもち、理解に努めているかが問われる。オリジナリティを出そうと、新聞の片隅の小さな記事について語るようなことは避ける。社会的な影響力のあるニュースのほうが好ましい。客観的な事実だけでなく、自分なりの解釈を加えるとよいが、不十分な理解のまま話すと、回答の矛盾点を指摘され、窮地に陥ることもある。つけ焼き刃でなく、日ごろから関心をもつことが大事だ。

★面接官はここをみる

- ニュースのポイントをおさえているか。
- そのニュースに対しどんな意見をもっているか。
- 時事・社会問題に関心をもって日常を送っているか。
- 社会の動きを的確に把握しているか。
- どんな分野に興味、関心のある人物か。

★ここはかならずチェック

- 事件や災害だけを取り上げるより、行政に関連づけた目線で語るほうが、社会に対する意識の高さをアピールしやすい。
- 社会的・政治的に偏った思想のもち主は敬遠される。自分の意見を入れる必要はあるが、客観的な視点も忘れないようにする。

覚えておこう プラス

「世界情勢に関心がありますか？」

世界の勢力地図がどうなっているか、各国間にある問題は何かなど、現代社会をグローバルにとらえる視点は公務員に欠かせない。当然「関心がある」と答えるべきところだが、現実問題として多くの事象を正しく理解しておくのはたやすいことではない。せめて、メディアで話題になる程度のことは頭に入れておくように、日々努力しよう。国や地域、関係者の名前は正確に覚える、といった地道な努力が求められる。

回答例

◆労働問題に関心をもっています。就職活動をするようになって、自分のこととして考えるようにもなりました。働き方改革で創設された高度プロフェッショナル制度が、実際にどう運用されているかが気になっています。

アドバイス

当然ながら、それがどのような制度で、どのような懸念があるかについての質問にも答えられるようにしておきたい。

◆死刑制度の存続の是非問題です。死刑執行のニュースが流れるたびに有識者が意見を述べてはいますが、議論は深まりません。法務大臣が替わるたびに方針も変わる印象です。一般の人の関心が薄いのでしょうか。

アドバイス

疑問を呈するだけに終わらず、意見も簡潔に述べたい。

◆デジタル化のおくれに関するニュースです。背景には人材不足、システム構築の管轄の問題、住民の理解促進のおくれなどがあるようですが、デジタル化による行政手続きの効率アップは急務の課題と考えます。

アドバイス

なぜ、国や自治体でデジタル化が十分に進まないのか、考察を深めておこう。「デジタルトランスフォーメーション（DX）」という語もキーワード。関連して、マイナンバーカードの普及状況も調べておくとよい。

ANSWER書き込みスペース

Q 高齢社会についてどう考えますか？

答えるときのキーポイント

高度経済成長を経た日本が抱える大きな問題として高齢化、そして人口減の問題がある。公務員をめざすなら関心をもち、自分なりの見解をもっておく必要がある。「高齢社会白書（令和6年版）」によると、2065年には高齢者（65歳以上）人口は全人口の38.4%に達すると予測されている。回答はこうした基本的なデータをおさえ、かつ日常の身近なところに接点をもたせるとよい。

★面接官はここをみる

- 高齢化をはじめとする人口問題に関心をもっているか。
- 問題のポイントを正しく把握しているか。
- どの程度の理解か。
- 自分なりの意見をもっているか。
- 身近なところに接点を見出しているか。

★ここはかならずチェック

- 「高齢化」とあわせて「少子化」についてもおさえておくこと。一人の女性が生涯に産む子どもの数（合計特殊出生率）は減少傾向が続いている。女性の社会進出、未婚化や晩婚化、さらに経済的に子どもを産めない、望まない夫婦の増加などが原因とされている。

覚えておこう プラス α

「未来は明るいと思いますか？」

こうした大胆な質問は、時事的な知識や見解を問うのではなく、将来に夢や目標をもって生きる姿勢があるかをみるためのもの。当然、回答は「明るい」を前提にする。なぜ明るいのか、どう明るいのか、自分はその未来でどんな生活をしているかなどを前向きに、かつ具体的に答えよう。面接官の人柄をみて、もし許されそうなら、思い切った夢物語を語るのもおもしろい。

回答例

◆介護保険や医療制度の改革などが進められていますが、まだまだ万全な対応がとられているとは思えません。介護ニーズは年々、右肩上がりで増えるでしょうし、年金の問題や生涯教育の充実といった点も不十分です。定年制度をもっと柔軟にするとか、税制を抜本的に見直すなど、大胆な対応策が必要だと考えます。

アドバイス

高齢化政策の現状や問題点を指摘し、自分なりに改善策を提案していて、関心の高さがうかがえる。やや焦点がしぼれていない点が難。「介護保険」「年金問題」など、細部についての質問にも答えられるように。

◆独り暮らしだった祖母の死をきっかけに関心をもつようになりました。また、家の近くにヘルパーの常駐するケアホームが建つなど、高齢社会を身近に感じています。それから、「結婚したくない」「子どもはほしくない」と考える友人が多く、少子化の進行も心配です。私は「少子・高齢化」の問題は、国の対応だけでは追いつかないと考えています。一人ひとりの意識の変化を促すような、大きな社会の転換が必要だと思います。

アドバイス

身近な接点を盛り込み、たいへんわかりやすく見解を伝えている。「大きな社会の転換」とは、たとえばどんなことがあるか考えてみよう。

ANSWER書き込みスペース

Q［地方分権の推進についてどう考えますか？］

答えるときのキーポイント

国と地方の関係は明治維新以来の「上下・主従」から「対等・協力」へと大きく方向転換している。公務員をめざす人には、深い関心と理解が求められる問題だ。回答は、国から地方へどんな権限が移されてきたかなどをおさえ、その問題点や改善策などに言及する。また、近年は地方自治に住民がどのように参画できるかも大きなテーマとなっているので、その提案をしてみるのもよい。

★面接官はここをみる

- 地方分権についての知識はあるか。
- 問題の本質を理解しているか。
- 具体的に問題点や改善策を述べているか。
- 自分なりの意見をもっているか。
- 公務員をめざす意識、自覚が感じられるか。

★ここはかならずチェック

- 地方公務員の場合、受験する自治体にからめて論じると高い評価につながる。中央政府の行政改革と同様、地方でもそれぞれ行革が進んでいるので、よく研究しておく必要がある。

覚えておこう プラスα

「市の活性化の提案をしてみてください」

地方公務員受験者は、自治体の活性化案はかならず具体的に考えておこう。極端すぎなければ、どんなものでもよい。実際の政策会議ではないのだから、実現するかどうかなど気にせず、若さを感じさせるエネルギッシュな意見をもつこと。面接官が求めているのは、実現性や緻密さではなく、自治体のことを研究してきているか、前向きな姿勢が感じられるか、フレッシュな感性があるかなのだ。個性をアピールできるチャンスに、思い切った斬新な発想をぶつけてみよう。

回答例

◆個人が重視される時代ですから、国より実生活に近い地方自治体に権限が移されるのは自然な流れだと思います。問題は、地方には財源が不足していることです。おそらく戦後の日本社会が築いた価値観や慣習が、現在のシステムに数多く残っているでしょうから、それらを一つひとつ見直す作業を徹底すれば、余分なことに使っていたお金を適切な方向に向けられるのではないでしょうか。やはり自治体の行政改革に力を入れることが、今後のカギを握っていると思います。

アドバイス

財源について焦点を当てた回答。財源確保や変革への対応のために、市町村の合併が進められたこともあわせて考えておこう。

◆地方分権が進むことで、住民の意見が行政にしっかり反映されるのを期待します。地域の事情に合った政策は、やはり地域で取り組むほうが効率がいいし、成果も高いはずです。日本はこれまで中央集権型でやってきて、経済的に豊かな国にはなったわけですが、マイナス面も多い。これからは住民を中心に考え、心の豊かさを育むような政策が必要です。そのためには“ローカルであること”って、実は大切だと思うんです。

アドバイス

「心の豊かさを育むような政策」とは、どんなことが考えられるか。もう少し具体性があったほうがよい。

ANSWER書き込みスペース

Q ［情報公開についてどう考えますか？］

答えるときのキーポイント

情報化を背景に、行政機関のもつ情報を外部に公開する制度が確立されている。これから公務員になる者にとって、知らなくてはならない制度といえる。「情報公開法（行政機関の保有する情報の公開に関する法律）」の内容を理解したうえで、「個人情報保護法（個人情報の保護に関する法律）」によるプライバシー保護との関連や、公務員としての自覚をふまえた回答を。

★面接官はここをみる

- 情報公開について正しく理解しているか。
- 行政についての知識はあるか、理解は正しいか。
- 情報公開の影響や問題点を具体的に述べているか。
- 自分なりの意見をもっているか。
- 公務員をめざす意識、自覚が感じられるか。

★ここはかならずチェック

- 情報公開法では、個人に関する情報、国の安全に関する情報、国民に誤解と混乱をもたらすおそれのある情報などについては非公開。判断は行政機関の長にゆだねられるが、請求者は不服申し立てができる。

回答例

◆放射線量のデータなど原子力に関する情報公開の遅れが指摘されたことがありました。行政間での情報共有については改善する必要があり、データの管理についても、厳しい目で問われていると感じています。公開すべきかどうか難しい情報も多いですが、インターネットが行政にとっても国民にとっても身近になってきた今だからこそ、正しい情報公開とは何か、考え続けたいと思っています。

アドバイス

行政の情報提供のあり方について触れているが、真摯な姿勢が伝わる。個人の意見としては少し弱いので、具体的な考えが伝えられるとよい。

◆住民の願いにかなった正しい行政が実施されるには、情報を公開するのは当然の義務だと考えます。ただ、どこまで公開するかが難しいですね。地方では公開、非公開で訴訟に発展したケースもあるそうです。より開かれた行政が求められますが、データ化された個人情報が流出するおそれもありますし、事実、起こってもいます。プライバシー保護と切っても切れない問題です。今後も、もっと議論がなされるべきではないでしょうか。

アドバイス

情報公開の基準の難しさを論じている。情報公開の導入について、立場をはっきりさせている点は明快でよい。非公開になるケースとしては、プライバシーの侵害以外に、行政の運営を妨げる場合も考えられる。

ANSWER書き込みスペース

Q [環境問題についてどう考えますか？]

答えるときのキーポイント

きわめて今日的で、人々の関心も高まっている環境問題。温暖化や砂漠化、資源の枯渇、環境ホルモンなど地球規模で懸念されるものから、ゴミ問題、リサイクル、土地開発など生活に関連するものまで、問題は多岐にわたる。単に一市民としての感想ではなく、地球規模の問題に日本の果たすべき役割を、国内の問題については行政側からの視点を加えるなど、一歩踏み込んだ回答が必要。

★面接官はここをみる

- 環境問題について高い意識があるか。
- 自分なりの意見をもっているか。
- 身近なところに環境問題との接点を見出しているか。
- 環境に関する行政の役割に理解があるか。

★ここはかならずチェック

- 日ごろから関心をもつことが第一。時事問題の参考書などで理解を深めておくと、毎日のニュースにも自然に関心をもてる。
- 文明批判のような偏った環境保護思想は敬遠される。建設的で未来に展望が開ける回答を心がけよう。

回答例

◆さまざまな問題がありますが、私はそのなかでも地球温暖化を心配しています。ドイツやスウェーデンなどのヨーロッパでは環境税制の見直しや強化が進みました。日本でも、「地球温暖化対策のための税」が導入されており、CO_2排出量に応じて、石油石炭税に上乗せされますが、温暖化の原因物質を排出する量に応じて税金をかける方法は、企業や国民の意識に直接働きかけられ、効果的だと思います。

アドバイス

地球温暖化はエネルギーや経済などと密接にからみ、国際的な政治力が発揮される問題としても注目される。受験者には必須事項といえる。

◆近年プラスチックゴミによる海洋汚染、生物の生存危機が問題になって、ストローなど使い捨てプラスチック製品の使用を制限する方向性が顕著です。自治体としての施策も求められています。わが県は、美しい海岸と海の幸がおもな環境資源です。SDGs（エスディージーズ）への取り組みも宣言しています。みずから条例を定め、地元の企業・団体にも働きかけて、持続可能な海洋環境ひいては地域発展のために尽力すべきだと考えます。

アドバイス

プラスチックゴミの話題から自治体の役割を強調し、問題意識の高さがうかがえる。SDGsに触れているのもよいが、当然ながらその内容はよく理解しておこう。行政批判をする場合は、あまり語気を強めずに語ること。

ANSWER書き込みスペース

Q 行政に求められるものは何だと思いますか？

答えるときのキーポイント

受験者の行政への理解度や熱意、センスが回答に表れる。現在の行政に足りない点を指摘し、具体的な改善策を提案してもよいし、もっと単純明快に自分が行政に望むこと、こうあってほしいと思う理想について語ってもよい。重要なのは、日ごろから行政に関心を寄せ、考える習慣をつけておくこと。あらかじめ内容をまとめておくことも必要。十分な心がまえが成功のカギとなる。

★面接官はここをみる

- 行政の役割を正しく理解しているか。
- 具体的に述べているか。
- 熱意や意欲は感じられるか。
- 公務員をめざす意識、自覚が感じられるか。

★ここはかならずチェック

- 面接の質問としてだけではなく、採用後、公務員として職務に就いてからも、この問いはつねに自分に言い聞かせるべきものだ。公務員の仕事に、自信と誇りをもとう。

覚えておこう プラスα

「行政の問題点について話してください」

広く行政一般のことから、制度上の問題点、具体的な政策の問題点など、さまざまなものがあるが、こういう“相手の欠点”について話すときには注意が必要だ。得意になって批判を展開するのは絶対に避けること。いくら問題点を聞かれているとはいえ、現役の公務員である面接官に失礼があってはいけない。また、不正事件などを例に出すのも好ましくないし、評論家のように饒舌なのも印象が悪い。自分は、不器用で機転がきかないと自覚している人は、力を入れずに軽くやり過ごすぐらいがよいだろう。

回答例

◆「人々に安心を与えること」だと思います。経済的、物質的に恵まれ、便利な世の中にはなりましたが、安心して人生を送れているかというと、昔も今もあまり変わらないのではと思うのです。その安心を与えられるようになることが、行政の究極の目的ではないでしょうか。

アドバイス

やや具体性には欠けるが、本質をついた回答になっている。オリジナリティが感じられるのはよい。

◆公園や文教施設の充実など、住みやすく成熟した町づくりが重要になると思います。ニーズの低い公共事業が多いと指摘されていますし、住民の声を第一に考えることが、必要不可欠ではないでしょうか。

アドバイス

住環境の整備を取り上げた無難な回答。内容はインパクトに欠けるだけに、熱意をもって語ろう。

◆何より具体的な政策です。問題点を穴埋めする"対症療法的"な政策でなく、長期的な展望に立った"根本的解決型"の政策です。その場を愛想よく笑ってとりつくろう日本人の悪い習慣を、そろそろ改善すべきです。

アドバイス

愛敬を出して語れるなら、こういう回答もおもしろい。

ANSWER書き込みスペース

試験の概要

※年齢規定はいずれも試験年度の４月１日において。

総合職試験

【政策の企画および立案または調査および研究に関する事務をその職務とする係員の採用試験】

①試験の種類

院卒者試験および大卒程度試験

②試験区分

<院卒者試験>

行政、人間科学、デジタル、工学、数理科学・物理・地球科学、化学・生物・薬学、農業科学・水産、農業農村工学、森林・自然環境、法務の10区分

<大卒程度試験>

政治・国際・人文、法律、経済、人間科学、デジタル、工学、数理科学・物理・地球科学、化学・生物・薬学、農業科学・水産、農業農村工学、森林・自然環境、教養*の12区分

＊「教養」区分は秋季に実施。

③全国試験・地域試験

院卒者試験、大卒程度試験の全試験区分について、全国試験として実施。

④受験資格

<院卒者試験>

○法務区分以外の区分

30歳未満の者で次に掲げるもの

ⅰ）大学院修士課程または専門職大学院の課程修了者および試験年度の３月までに大学院修士課程または専門職大学院の課程修了見込みの者

ⅱ）人事院がⅰ）に掲げる者と同等の資格があると認める者*

＊医学、歯学、薬学、獣医学の各履修課程、大学院相当の教育課程の修了者、修士または専門職学位に相当する学位を授与された者等が該当（見込み含む)。

○法務区分

30歳未満の者で次に掲げるもの

ⅰ）法科大学院の課程修了（見込み含む）者で司法試験に合格したもの

ⅱ）司法試験予備試験に合格した者であって司法試験に合格したもの

＜大卒程度試験＞

○すべての区分

ｉ）21歳以上30歳未満の者

ⅱ）21歳未満の者で次に掲げるもの

ａ）大学卒の者および試験年度の３月までに大学卒見込みの者

ｂ）人事院がａ）に掲げる者と同等の資格があると認める者*

*大学院に入学したことのある者、学士の学位を授与された者、専修学校の専門課程修了者（見込み含む）等が該当。

○教養区分

「すべての区分」に示したもののほか、19歳の者

⑤試験種目・試験の方法

P.163～165を参照

⑥採用候補者名簿の有効期間

院卒者試験、大卒程度試験（教養区分以外）は５年、大卒程度試験（教養区分）は６年６カ月。

一般職試験

【政策の実行やフォローアップなどに関する事務をその職務とする係員の採用試験】

①試験の種類

大卒程度試験、高卒者試験および社会人試験

②試験区分

＜大卒程度試験＞

行政、デジタル・電気・電子、機械、土木、建築、物理、化学、農学、農業農村工学、林学の10区分*　*2025年度から「教養」が加わり11区分に。

＜高卒者試験＞＜社会人試験＞

事務、技術、農業、農業土木、林業の５区分（年度により休止あり）

③全国試験・地域試験

大卒程度試験の行政区分、高卒者試験の事務・技術区分、社会人試験の技術区分は地域試験、その他の試験区分は全国試験として実施。

④受験資格

＜大卒程度試験＞

ｉ）21歳以上30歳未満の者

ⅱ）21歳未満の者で次に掲げるもの

a）大学卒の者および試験年度の３月までに大学卒見込みの者並びに人事院がこれらの者と同等の資格があると認める者*

＊大学院に入学したことのある者、学士の学位を授与された者、専修学校の専門課程修了者（見込み含む）等が該当。

b）短期大学または高等専門学校卒の者および試験年度の３月までに短期大学または高等専門学校卒見込みの者並びに人事院がこれらの者と同等の資格があると認める者*

＊基準を満たす高等学校の専攻科や専門職大学前期課程の修了者（見込み含む）等が該当。

＜高卒者試験＞

ⅰ）試験年度の４月１日において高等学校または中等教育学校を卒業した日の翌日から起算して２年を経過していない者および試験年度の３月までに高等学校または中等教育学校卒見込みの者

ⅱ）人事院がⅰ）に掲げる者に準ずると認める者

＜社会人試験＞

40歳未満の者（高卒者試験のⅰに規定する期間が経過した者および人事院が当該者に準ずると認める者に限る）

⑤試験種目・試験の方法

P.165を参照

⑥採用候補者名簿の有効期間

大卒程度試験は５年、 高卒者試験、社会人試験は１年。

専門職試験

専門性の高い試験で次のような種類がある。職務内容、受験資格などの詳細は、人事院ホームページ「国家公務員試験採用情報NAVI」で確認してほしい。なお、外務省専門職員採用試験は外務省が実施している。

大卒程度試験	高卒程度試験
皇宮護衛官	税務職員
法務省専門職員（人間科学）	皇宮護衛官
財務専門官	刑務官
国税専門官	入国警備官
食品衛生監視員	航空保安大学校学生
労働基準監督官	海上保安大学校学生
航空管制官	海上保安学校学生
海上保安官	気象大学校学生

◆総合職試験の試験種目・試験の方法（院卒者試験）◆

		試験種目	解答題数 解答時間	配点 比率	内容
行政 人間科学 デジタル 工学 数理科学・物理・地球科学 化学・生物・薬学 農業科学・水産 農業農村工学 森林・自然環境	第1次試験	基礎能力試験 （多肢選択式）	30題 2時間20分	2/15	知能分野24題 文章理解⑩、判断・数的推理（資料解釈を含む。）⑭ 知識分野6題 自然・人文・社会に関する時事、情報⑥
	第1次試験	専門試験 （多肢選択式）	40題 3時間30分	3/15	各試験の区分に応じて必要な専門的知識などについての筆記試験（出題分野および出題数は別表による）
	第2次試験	専門試験 （記述式）	2題 3時間	5/15	各試験の区分に応じて必要な専門的知識などについての筆記試験（出題分野および出題数は別表による）
	第2次試験	政策課題討議試験	概ね1時間30分	2/15	課題に対するグループ討議によるプレゼンテーション能力やコミュニケーション力などについての試験
	第2次試験	人物試験		3/15	人柄、対人的能力などについての個別面接（参考として性格検査を実施）
	英語試験				外部英語試験を活用し、スコア等に応じて総得点に15点または25点を加算
法務	第1次試験	基礎能力試験 （多肢選択式）	30題 2時間20分	2/7	知能分野24題 文章理解⑩、判断・数的推理（資料解釈を含む。）⑭ 知識分野6題 自然・人文・社会に関する時事、情報⑥
	第2次試験	政策課題討議試験	概ね1時間30分	2/7	課題に対するグループ討議によるプレゼンテーション能力やコミュニケーション力などについての試験
	第2次試験	人物試験		3/7	人柄、対人的能力などについての個別面接（参考として性格検査を実施）
	英語試験				外部英語試験を活用し、スコア等に応じて総得点に15点または25点を加算

総合職試験（院卒者試験・大卒者試験）における外部英語試験の活用
対象となるのは、①Educational Testing ServiceのTOEFL iBTテスト、②同TOEIC Listening & Reading Test（公開テストに限る。）、③ブリティッシュ・カウンシル、IDP：IELTSオーストラリアおよびケンブリッジ大学英語検定機構のIELTSのアカデミック・モジュールまたはジェネラル・トレーニング・モジュール、④公益財団法人日本英語検定協会の実用英語技能検定（英検）の４つで、試験年度の4月1日からさかのぼって5年前の日以後に受験したものに限る。

◆総合職試験の試験種目・試験の方法（大卒程度試験）◆

<table>
<tr><th></th><th></th><th>試験種目</th><th>解答題数
解答時間</th><th>配点
比率</th><th>内容</th></tr>
<tr><td rowspan="6">政治・国際・人文
法律
経済
人間科学
デジタル
工学
数理科学・物理・地球科学
化学・生物・薬学
農業科学・水産
農業農村工学
森林・自然環境</td><td rowspan="2">第1次試験</td><td>基礎能力試験
（多肢選択式）</td><td>30題
2時間20分</td><td>2/15</td><td>知能分野24題
文章理解⑩、判断・数的推理（資料解釈を含む。）⑭
知識分野6題
自然・人文・社会に関する時事、情報⑥</td></tr>
<tr><td>専門試験
（多肢選択式）</td><td>40題
3時間30分</td><td>3/15</td><td>各試験の区分に応じて必要な専門的知識などについての筆記試験（出題分野および出題数は別表による）</td></tr>
<tr><td rowspan="3">第2次試験</td><td>専門試験
（記述式）</td><td>2題
3時間</td><td>5/15</td><td>各試験の区分に応じて必要な専門的知識などについての筆記試験（出題分野および出題数は別表による）</td></tr>
<tr><td>政策論文試験</td><td>1題
2時間</td><td>2/15</td><td>政策の企画立案に必要な能力その他総合的な判断力および思考力についての筆記試験</td></tr>
<tr><td>人物試験</td><td></td><td>3/15</td><td>人柄、対人的能力などについての個別面接（参考として性格検査を実施）</td></tr>
<tr><td colspan="2">英語試験</td><td colspan="2"></td><td>外部英語試験を活用し、スコア等に応じて総得点に15点または25点を加算</td></tr>
<tr><td rowspan="4">教養</td><td rowspan="2">第1次試験</td><td>総合論文試験</td><td>2題
4時間</td><td>8/28
（注）</td><td>Ⅰ：政策の企画立案の基礎となる教養・哲学的な考え方に関するもの1題
Ⅱ：具体的な政策課題に関するもの1題</td></tr>
<tr><td>基礎能力試験
（多肢選択式）</td><td>Ⅰ部　24題
2時間
Ⅱ部　30題
1時間30分</td><td>Ⅰ部
3/28
Ⅱ部
2/28</td><td>Ⅰ部：知能分野
文章理解⑩、判断・数的推理（資料解釈を含む。）⑭
Ⅱ部：知識分野
自然・人文・社会（時事を含む。）、情報㉚</td></tr>
<tr><td rowspan="2">第2次試験</td><td>企画提案試験</td><td>Ⅰ部　1題
1時間30分

Ⅱ部
概ね30分</td><td>5/28</td><td>Ⅰ部：政策概要説明紙（プレゼンテーションシート）作成
課題と資料を与え、解決策を提案させる
Ⅱ部：プレゼンテーションおよび質疑応答
プレゼンテーションシートの内容について試験官に説明、その後質疑応答を受ける</td></tr>
<tr><td>政策課題
討議試験</td><td>概ね1時間30分（うちグループ討議45分）</td><td>4/28</td><td>課題に対するグループ討議によるプレゼンテーション能力やコミュニケーション力などについての試験</td></tr>
</table>

教養		人物試験		6/28	人柄、対人的能力などについての個別面接（参考として性格検査を実施）
	英語試験				外部英語試験を活用し、スコア等に応じて総得点に15点または25点を加算

（注）教養区分については、第１次試験の合格は基礎能力試験の結果によって決定。総合論文試験は第１次試験合格者を対象として評定した上で、最終合格者の決定に反映。

◆一般職試験の試験種目・試験の方法（大卒程度試験）◆

	試験種目	解答題数 解答時間	配点比率		内容
			建築以外の区分	建築区分	
第1次試験	基礎能力試験 （多肢選択式）	30題 １時間50分	2/9	2/9	知能分野24題 文章理解⑩、判断推理⑦、数的推理④、資料解釈③ 知識分野６題 自然・人文・社会に関する時事、情報⑥
	専門試験 （多肢選択式）	【建築区分】 33題 ２時間 【建築以外の区分】 40題 ３時間	4/9	2.5/9	各試験の区分に応じて必要な専門的知識などについての筆記試験（出題分野および出題数は別表による）
	一般論文試験 【行政区分】	１題 １時間	1/9 （注）		文章による表現力、課題に関する理解力などについての短い論文による筆記試験
	専門試験 （記述式） 【行政以外の区分】	【建築区分】 １題 ２時間		2.5/9 （注）	各試験の区分に応じて必要な専門的知識などについての筆記試験（出題分野および出題数は別表による）
		【建築以外の区分】 １題 １時間	1/9 （注）		
第2次試験	人物試験		2/9	2/9	人柄、対人的能力などについての個別面接（参考として性格検査を実施）

（注）第１次試験の合格は基礎能力試験および専門試験（多肢選択式）の結果によって決定。一般論文試験または専門試験（記述式）は第１次試験合格者を対象として評定した上で、最終合格者の決定に反映。

◆専門職試験の試験種目・試験の方法（大卒程度試験）◆

		試験種目	解答題数 解答時間	配点 比率	内容
皇宮護衛官	第1次試験	基礎能力試験 （多肢選択式）	30題 １時間50分	3/5	知能分野24題（文章理解⑩、判断推理⑦、数的推理④、資料解釈③） 知識分野６題（自然・人文・社会に関する時事、情報⑥）
		課題論文試験	２題 ３時間	2/5	・時事的な問題に関するもの　１題 ・具体的な事例課題により、皇宮護衛官として必要な判断力・思考力を問うもの　１題

皇宮護衛官	第2次試験	人物試験		＊	人柄、対人的能力などについての個別面接（参考として性格検査を実施）
		身体検査		＊	胸部疾患その他一般内科系検査
		身体測定		＊	身長、体重、視力、色覚の測定
		体力検査		＊	身体の筋持久力等についての検査
法務省専門職員（人間科学）【矯正心理専門職A(男子に限る)／B(女子に限る)区分・法務教官A(男子に限る)／B(女子に限る)区分・保護観察官区分】	第1次試験	基礎能力試験（多肢選択式）	30題 1時間50分	心理 2/11 法務 2/10 保護 2/10	出題分野・数等は皇宮護衛官に同じ
		専門試験（多肢選択式）	40題 2時間20分	心理 3/11 法務 3/10 保護 3/10	【心理】60題出題（心理学に関連する領域⑳必須、心理学⑩・教育学⑩・福祉⑩・社会学⑩から20題選択）【法務・保護】心理学⑩、教育学⑩、福祉⑩、社会学⑩
		専門試験（記述式）	1題 1時間45分	心理 3/11 法務 3/10 保護 3/10	【心理】心理学に関連する領域【法務・保護】心理学に関連する領域、教育学に関連する領域、福祉に関連する領域、社会学に関連する領域から1題選択
	第2次試験	人物試験		心理 3/11 法務 2/10 保護 2/10	人柄、対人的能力などについての個別面接（参考として性格検査を実施）【心理】心理臨床場面において必要になる判断力等についての質問も含む
		身体検査【心理、法務】		＊	一般内科系検査
		身体測定【心理、法務】		＊	視力についての測定
財務専門官	第1次試験	基礎能力試験（多肢選択式）	30題 1時間50分	2/9	出題分野・数等は皇宮護衛官に同じ
		専門試験（多肢選択式）	40題 2時間20分	3/9	76題出題（憲法・行政法、経済学・財政学・経済事情㉘必須、残り8科目㊽から2科目12題選択）
		専門試験（記述式）	1題 1時間20分	2/9	憲法、民法、経済学、財政学、会計学から1科目選択
	第2次試験	人物試験		2/9	人柄、対人的能力などについての個別面接（参考として性格検査を実施）
国税専門官【国税専門A(法文系)区分・国税専門B（理工・デジタル系）区分】	第1次試験	基礎能力試験（多肢選択式）	30題 1時間50分	2/9	出題分野・数等は皇宮護衛官に同じ
		専門試験（多肢選択式）	40題 2時間20分	3/9	【A】【B】それぞれ58題出題、16題必須・24題選択
		専門試験（記述式）	1題 1時間20分	2/9	【A】5科目各1題から1科目選択【B】科学技術に関する領域1題必須
	第2次試験	人物試験		2/9	人柄、対人的能力などについての個別面接（参考として性格検査を実施）
		身体検査		＊	胸部疾患その他一般内科系検査

食品衛生監視員	第1次試験	基礎能力試験（多肢選択式）	30題 1時間50分	1/4	出題分野・数等は皇宮護衛官に同じ
		専門試験（記述式）	3題 1時間40分	2/4	6題出題（分析化学①または食品化学①、微生物学①または毒性学①、公衆衛生学①または食品衛生学①の3題選択）
	第2次試験	人物試験		1/4	人柄、対人的能力などについての個別面接（参考として性格検査を実施）
労働基準監督官【労働基準監督A（法文系）区分・労働基準監督B（理工系）区分】	第1次試験	基礎能力試験（多肢選択式）	30題 1時間50分	2/7	出題分野・数等は皇宮護衛官に同じ
		専門試験（多肢選択式）	40題 2時間20分	3/7	【A】48題出題、12題必須・28題選択 【B】46題出題、8題必須・32題選択
		専門試験（記述式）	2題 2時間	2/7	【B】4～6題出題、工業事情必須・1題選択
	第2次試験	人物試験		＊	人柄、対人的能力などについての個別面接（参考として性格検査を実施）
		身体検査		＊	胸部疾患その他一般内科系検査
航空管制官	第1次試験	基礎能力試験（多肢選択式）	30題 1時間50分	2/12	出題分野・数等は皇宮護衛官に同じ
		適性試験Ⅰ部（多肢選択式）	60題 45分	2/12	・記憶について⑮（20分） ・空間関係について㊺（25分）
		外国語試験（聞き取り）	10題 約40分	1/12	英語のヒヤリング
		外国語試験（多肢選択式）	30題 2時間	3/12	英文解釈、和文英訳、英文法などについての筆記試験
	第2次試験	外国語試験（面接）		1/12	英会話
		人物試験		3/12	人柄、対人的能力などについての個別面接（参考として性格検査を実施）
	第3次試験	適性試験Ⅱ部		＊	航空管制官として必要な記憶力、空間把握力についての航空管制業務シミュレーションによる試験
		身体検査		＊	胸部疾患その他一般内科系検査
		身体測定		＊	視力、色覚、聴力についての測定
海上保安官	第1次試験	基礎能力試験（多肢選択式）	30題 1時間50分	3/6	出題分野・数等は皇宮護衛官に同じ
		課題論文試験	2題 3時間	2/6	・時事的な問題に関するもの　1題 ・具体的な事例課題により、海上保安官として必要な判断力・思考力を問うもの　1題
	第2次試験	人物試験		1/6	人柄、対人的能力などについての個別面接（参考として性格検査を実施）
		身体検査		＊	胸部疾患その他の一般内科系検査
		身体測定		＊	身長、体重、視力、色覚、聴力の測定
		体力検査		＊	身体の筋持久力等についての検査

＊合否の判定のみを行う。

本文デザイン／ワードクロス・小林辰江
ライター／飯野健雄
表紙イラスト／Ⓒアフロ・フォト・エージェンシー
本文イラスト／安部由記
編集協力／ワードクロス

本書に関する正誤等の最新情報は、下記の URL をご覧ください。

https://www.seibidoshuppan.co.jp/support/

上記アドレスに掲載されていない箇所で、正誤についてお気づきの場合は、書名・発行日・質問事項（ページ・問題番号など）・氏名・郵便番号・住所・FAX 番号を明記の上、郵送または FAX で、**成美堂出版**までお問い合わせください。

※電話でのお問い合わせはお受けできません。

※本書の正誤に関するご質問以外はお受けできません。また受験指導などは行っておりません。

※ご質問の到着確認後10日前後に、回答を普通郵便または FAX で発送いたします。

※ご質問の受付期限は、2025年の10月末日までに実施される各試験日の10日前必着といたします。ご了承ください。

成功する！ 公務員の面接採用試験 '26年版

2024年11月30日発行

編　著　成美堂出版編集部
発行者　深見公子
発行所　成美堂出版
〒162-8445 東京都新宿区新小川町1-7
電話(03)5206-8151 FAX(03)5206-8159
印　刷　壮光舎印刷株式会社

ISBN978-4-415-23897-5
落丁·乱丁などの不良本はお取り替えします
定価は表紙に表示してあります